P9-EET-311

NOS HOMMES

Du même auteur

AUX MÊMES ÉDITIONS

Une enfance à l'eau bénite
roman, 1985
coll. « Points », n° 387

Tremblement de cœur
roman, 1990
coll. « Points », n° 512

La Déroute des sexes
1993

CHEZ D'AUTRES ÉDITEURS

La Voix de la France
essai
Robert Laffont, 1975

Le Mal de l'âme
(en collaboration avec Claude Saint-Laurent)
essai
Robert Laffont, 1989

DENISE BOMBARDIER

NOS HOMMES

ÉDITIONS DU SEUIL
*27, rue Jacob, Paris VIe*

ISBN 2-02-021688-4

A André Joli-Cœur,
mon bien-aimé bien nommé.

L'histoire d'une femme, c'est avant tout l'histoire des hommes qui jalonnent sa vie. « C'était avant de vivre avec Jean », dira la femme alors que l'homme découpera plutôt sa vie selon les entreprises où il a travaillé ou les fonctions qu'il a occupées. « Mon fils est né alors que j'étais à la Banque », notera-t-il.

De nos jours, les hommes sont inquiets. Nous avons décrit l'état des relations entre les hommes et les femmes [1]. On l'aura compris, ce livre raconte des histoires d'hommes, des hommes au centre de nos vies, ou d'autres que nous côtoyons. Car si chaque homme nous instruit sur tous les autres, il nous révèle d'abord à nous-mêmes. En ce sens-là, nos hommes sont à l'image de ce que nous voulons, croyons ou désespérons d'être.

1. *La Déroute des sexes,* Paris, Le Seuil, 1993.

1. Nos premiers hommes

Nous avions tous les deux dix ans. Nous nous retrouvions à la patinoire du quartier. Il me prenait par la taille et nous tournions sans fin car nous n'osions avouer que le froid mordant brûlait nos joues et insensibilisait nos orteils. Il me raccompagnait à la maison à travers les rues désertes, dans la noirceur, avec comme seul bruit les lames de nos patins qui s'entrechoquaient ; il les portait noués par les lacets et accrochés à son épaule. Il choisissait le chemin le moins rapide car nous vivions cette expérience unique et nouvelle de marcher main dans la main.

La température oscillait souvent entre moins vingt et moins trente degrés, mais peu nous importait. Un soir, il enleva son gant et je sentis sa main nue à travers la laine du mien. Rompant le silence qui marquait ces promenades, il osa proposer que j'enlève aussi mon gant. Je faillis défaillir mais j'obéis. Nos doigts s'entrecroisèrent et je sus à ce contact brûlant que la terre pouvait désormais s'arrêter de tourner.

Mais l'hiver ne pardonne pas. En quelques minutes, je ne sentais plus mes doigts engourdis. Je luttais contre le froid maudit qui me ramenait à cette réalité brutale et triviale d'avoir à retirer la main pour la réchauffer. Sans doute devina-t-il mes pensées. Il proposa d'enfermer ma main dans la sienne. Lui seul risquerait l'engelure. A dix ans, j'avais trouvé le protecteur que j'espérais. A mes yeux, ce garçon était ce que j'imaginais que devait être un homme. Mon homme.

N. disparut de ma vie avec l'arrivée de l'été. J'appris, bien plus tard, qu'à l'âge de seize ou dix-sept ans, il s'était suicidé. Ainsi, l'enfant mâle, qui par amour pour moi avait défié les moins trente, n'était pas surhumain. Cette vérité ne me quittera plus.

*

* *

Plus tard, à la fin de l'adolescence, un Anglais débarqua dans ma vie. Blond, maigrichon, ironique, infiniment doux et aimable comme on qualifiait Dieu dans les prières qu'on nous avait apprises, Christopher fut le premier à tenter l'offensive de l'amour physique. C'est bien connu, les Anglais nous avaient conquis ; lui avait décidé d'assumer seul, dans un corps à corps, l'héritage de ses ancêtres.

C'était sans compter avec l'éducation à l'eau bénite dans laquelle j'avais nagé. Pour tout dire, un alezan est moins farouche que je ne l'étais. Mais lui était patient. Je n'irai pas jusqu'à dire cependant que ce protestant avait une patience d'ange puisque ses intentions n'étaient pas catholiques. Chaque soir de cet été mémorable, nous étions à la recherche des lieux de *necking*, cet art du pelotage inoffensif venu des États-Unis.

Rétrospectivement, je sais les souffrances que mon cher Britannique endura. Je voulais et ne voulais pas à la fois, et il ajustait ses caresses selon mes désirs. A la fin de l'été, il retourna dans sa fière Albion sans avoir renouvelé l'exploit de la Conquête de 1759. Nous étions en larmes, déchirés par la séparation. Dans l'espoir secret, peut-être, de repartir avec mon hymen, il rata le bateau. Avant que son père, un officier de la flotte de Sa Majesté, ne lui expédie l'argent du retour, nous avions repris nos soirées érotico-sentimento-politiques.

Un soir, n'en pouvant plus, il me supplia de baisser la fermeture Éclair de sa braguette, ce que je ne fis qu'à moitié car la découverte de ce qui me sembla un tuyau d'acier vivant me terrorisa. Il pleura doucement avec des hoquets dans la gorge, mais sa douleur, visible, ne suffisait pas à me convaincre de céder. Il partit pour de bon et ce second départ diminua l'intensité de nos sanglots. Il m'écrivit des lettres enflammées et fabriqua une petite poupée hideuse dont il recouvrit la tête d'une touffe de ses propres cheveux qu'il avait coupés par amour pour moi.

Avec Christopher, j'appris qu'un homme qui aime est prêt à faire le sacrifice de son désir et que son cœur est soumis à des perturbations au moins aussi fortes que les nôtres. C. prouva par son attitude que je pouvais faire désormais confiance aux hommes, du moins à la plupart d'entre eux. Ils respectaient notre volonté, aussi contradictoire et folle fût-elle.

*
* *

Ce fut évidemment un Québécois qui bénéficia du travail préparatoire de l'Anglais. A quoi servirait, autrement, la conscience historique ? J'avais vingt ans, j'étais politisée et lui aussi. Ce second C., étudiant comme moi à l'université, était mystérieux, étrange même, élégant, secret, et ses lèvres charnues me troublaient. De plus, l'idée qu'il était plus âgé que moi – cinq ou six ans – me rassurait. Je tombai amoureuse de lui. Aveuglément, pour être plus exacte. Durant quelques semaines, je vécus extatique. J'aimais et j'étais aimée. Mes dernières résistances physiques allaient être emportées par la seule force de son amour car lui aussi pratiquait la patience. Il me rassurait avec des mots, se riait de mes craintes, s'appliquait à les démystifier. Aucune urgence ne nous bousculait, nous avions la vie devant nous. Du moins, le croyais-je. Il n'y avait eu qu'une encoche à ces semaines de bonheur irréel et c'était son horaire à lui. Nous étudions ensemble, nous militions ensemble et, sans crier gare, il disparaissait jusqu'au lendemain. Or, je n'avais pas son numéro de téléphone, et à cette époque, c'était les hommes qui appelaient les femmes.

Un après-midi de janvier, alors qu'il me raccompagnait chez mes parents, je le trouvai plus mystérieux que d'habitude, mais d'un mystère cette fois sans attrait. Tendu à l'extrême, muet, il stationna le long d'un banc de neige énorme – les détails nous frappent dans ces circonstances –, quelques rues avant d'arriver à la maison. Je le regardai, morte d'inquiétude. Il me prit fougueusement dans ses bras et éclata en sanglots. J'entendis, à travers des phrases incohérentes, qu'il me demandait pardon. Lui pardonner, mais quoi ? L'homme de mon cœur, l'homme de mon corps révélé était un homme marié !

Combien d'heures sommes-nous restés, lui suppliant, moi dévastée, dans cette froidure menaçante ? Il était si sincèrement inconsolable, cet homme qui m'avait trahie, trahi mon cœur, mon corps, ma confiance, que je retrouvai le vieil atavisme de mon sexe. C'était moi, détruite, démolie, qui me faisais rassurante. Non, je n'allais pas le quitter, qu'il fût sans crainte, je resterais, j'attendrais et, dans mon for intérieur, je me disais : « Je supplanterai ma rivale. »

Avec Charles, je sus que les hommes nous trahissaient avant tout par faiblesse. Que si nous avions peur, ils avaient, eux, au moins aussi peur que nous. Des dizaines d'années plus tard, je le revis ; le mystère avait disparu, l'élégance aussi. C'était un homme perdu, tracassé, triste. Notre séparation, quelques mois après la révélation de son mariage, avait fini par provoquer celle d'avec sa femme. Par amour meurtri, à cause de moi, avouait-il, il s'était expatrié durant quelques années sur les banquises dans le grand nord québécois. Ainsi donc, moi qui avais tant souffert par lui, je découvrais que sa souffrance l'avait mené jusqu'au pays du froid brûlant. Je ne pouvais plus me faire accroire que j'avais été la seule victime de cette histoire d'amour. Les hommes étaient emportés par le malheur comme nous.

*

* *

L'attirance que j'éprouvai un jour pour Olivier entraînerait ma perte, j'en étais sourdement convaincue. L'homme était brillant, cassant, méfiant et cynique. Personne ne trouvait grâce à ses yeux, à part moi. J'étais flattée, et l'idée de le faire céder à mes charmes m'excitait. Il savait prononcer les mots pour me troubler, mais il avait aussi l'art de déclencher mon insécurité. Il me résistait, je montais aux barricades et, au moment le plus imprévisible, il donnait l'impression de m'abandonner la partie. Qui n'a pas rêvé d'être ainsi ballotté entre les extrêmes ?

Mais ces histoires d'amour et de haine finissent par épuiser. Car la cruauté ne s'improvise pas ; elle s'échafaude petit à petit. Olivier la pratiquait sans doute depuis toujours, alors que j'étais novice en la matière. Face à cet homme, je me dénaturais et j'en étais d'autant plus troublée que je découvrais un plaisir malsain à être en même temps portée aux nues et traînée dans la boue. Je compris qu'il me faisait payer le prix de la séduction que j'exerçais sur lui. Cet homme était, à vrai dire, traqué, paniqué à l'idée qu'on puisse l'aimer. Paradoxalement, il n'était pas macho, ni dans son discours ni dans son attitude professionnelle avec les femmes. Olivier m'a ouvert les yeux. Aucune femme n'est à l'abri d'un bourreau sentimental et ce dernier est sans doute convaincu d'être lui-même une victime du péril féminin.

*

* *

Marcel, lui, traversa ma vie en coup de vent. Il était marié, mal marié, déclara-t-il d'entrée de jeu – j'aurais dû me méfier –, et le dîner n'était pas sitôt terminé qu'il se déclarait amoureux fou de moi. Certes, la flatterie ne mène nulle part, mais cela ne signifie pas qu'on y résiste en toutes circonstances. D'autant plus que ce M. avait du charme, du bagout, de l'entregent et une aisance financière qui donnait l'impression quand il marchait dans la rue que le trottoir aussi lui appartenait. Je le trouvais exotique bien qu'il fût de mon « ethnie » et de ma culture.

Je fus enfouie sous les bouquets de fleurs les jours suivant notre rencontre, et ses coups de téléphone enflammés finirent par se confondre à un système d'alarme déclenché par erreur. Nous déjeunions, nous dînions et je l'écoutais me raconter son histoire de couple ; selon ses dires, il était moralement martyrisé, physiquement frustré et financièrement exploité. Il exagérait, me disais-je, mais cette extravagance n'était pas dépourvue de charme à mes yeux. Beaucoup de femmes ont en elles une mère Teresa qui sommeille et la mienne finit par s'éveiller. Je serais celle qui le sauverait de la marâtre, car toutes les rivales ne le sont-elles pas ? Si intellectuellement nous oscillons tous entre des haut et des bas, j'étais, à n'en point douter, au plus bas...

Je consentis donc à tout. A l'écouter sans émettre le moindre doute sur les invraisemblances et les contradictions de ses propos. Son épouse s'acharnait à le détruire, « bien sûr ». Elle l'humiliait en public, « la garce » ; elle brisait volontairement des objets précieux qu'il affectionnait, « la sadique » ; elle dépensait inconsidérément son argent, « l'entretenue aliénée », et elle se refusait à lui depuis des mois. A vrai dire, j'étais plutôt favorable à cette dernière torture. Je me donnai à lui après une bouteille de champagne Cristal ; il m'en avait précisé le prix puisque je n'avais pas réagi devant la bouteille, ne connaissant jusque-là, dans cette gamme de prix, que le Dom Pérignon. Pour un homme martyrisé, sa performance fut, ma foi, fort honorable. D'autant qu'il avait au lit des réserves de tendresse et de délicatesse insoupçonnables. Bref, j'eus envie de recommencer, avec ou sans Cristal.

Dès qu'il perçut mon attachement, il prit la fuite. Du jour au lendemain, plus un coup de téléphone. A son bureau où, humiliée, je rappliquai, il avait visiblement donné ordre de bloquer mes appels. Les derniers bouquets de fleurs fanèrent sans que je réussisse à obtenir un mot d'explication. M. s'était évaporé me laissant une égratignure au cœur et à l'amour-propre. Je n'allais plus oublier que des hommes, par lâcheté, passent dans nos vies au gré de leurs besoins. Par lâcheté, par insouciance et pour le plaisir insatiable de séduire. Il ne tient qu'à nous de ne pas jouer bêtement les proies. Ce Marcel me donna une leçon. De là à lui en être reconnaissante, il y a un pas que je ne franchirai tout de même pas.

*
* *

Parmi nos hommes, il y a heureusement nos amis, ceux qui se confient à nous en toute confiance et devant qui nous nous épanchons. L'histoire de ma vie est traversée par Jean. Son intelligence m'inspire, sa naïveté me touche et m'amuse en même temps, sa générosité m'émeut. Homme de conviction et de sincérité, son sens aigu de l'injustice provoque aussi mon admiration. Nos relations sont dégagées de la tension que crée le jeu de la séduction. Bernanos dirait que nos âmes sont à nu. Je sais de cet homme des secrets qu'il a sans doute enfouis au fond de sa mémoire. Dans une des périodes les plus douloureuses de ma vie, tout un après-midi il m'a bercée comme une enfant. Le soir venu, trop angoissée, je n'ai pas voulu quitter ses bras. Je me suis finalement endormie et il est resté ainsi, des heures, à veiller sur mon sommeil agité.

Au fil des ruptures, des séparations, des amours nouvelles, J. demeure présent, tel un phare. Nos fréquentations sont irrégulières ; des semaines, des mois peuvent s'écouler sans que l'on communique. Un jour, le téléphone sonne : « Où es-tu ? – Près de chez toi. – Je t'attends. » Il entre, frotte ses joues contre les miennes, et la conversation reprend là où on l'avait laissée lors de la dernière rencontre. Grâce à J., je sais que l'affection gratuite existe. Je sais combien l'humour masculin à propos des femmes est nécessaire pour que leur peur, leur vieille peur d'être étouffés, contrôlés, dominés soit apaisée. Je sais enfin que les hommes sont reconnaissants et fiables.

*

* *

Je n'ai qu'un frère qui est mon cadet. Nouveau-né, je l'ai mordu au sang sur le ventre. A ma mère qui me grondait, j'ai répondu que je « l'aimais trop ». Je connaissais déjà l'usage des adverbes. Par la suite, je fus sa protectrice. Puis, il devint physiquement plus fort que moi et me fit payer, par des raclées, parfois méritées, les injustices qu'il subissait à cause de moi. Je le faisais punir pour des bêtises que j'avais moi-même commises, jurant sur « les Saints Évangiles » qu'il en était l'auteur, le seul auteur. J'abusais de sa naïveté et je jouissais devant l'ahurissement qu'il manifestait face à mes mensonges. Il se vengeait en assistant sans broncher aux combats de lutte et de boxe que me livraient ses amis, nos voisins. Je rentrais à la maison égratignée, les cheveux ébouriffés, la robe déchirée, et il continuait ses jeux avec mes agresseurs.

Dans les endroits publics, je soumettais sa timidité à rude épreuve, attirant l'attention des gens sur la beauté de ses cheveux d'un blond-roux très particulier. Mais il n'appartenait pas à mon univers. Élevée par un clan de femmes ne valorisant que les femmes, éduquée dans des écoles où la mixité des sexes était impensable, mon frère me semblait une sorte d'étranger familier. Enfants, jamais nous n'échangeâmes de confidences. Adolescents, nos routes, compte tenu, entre autres, de la différence d'âges, ne se sont jamais croisées. Adultes, nous n'avons que peu de contacts. Pourtant, c'est un des rares hommes que je pourrais réveiller en pleine nuit pour lui demander de l'aide. Il n'y a guère d'échanges entre nous. S'il m'arrive de le pousser quelque peu dans ses retranchements, son malaise freine ma curiosité. Pourtant, il fait partie de mes hommes.

Le premier sexe mâle que je vis et pus regarder à mon aise fut le sien, lorsque, bébé, ma mère le langeait. J'appris, avec mon frère à mes côtés, à jouer de cette séduction parfois tyrannique qui caractérise nos rapports avec les hommes. Je pratiquais aussi sur lui ma perversité, inoffensive certes, mais si utile pour convaincre les hommes de céder à nos désirs. Et j'aimais ce petit frère, je l'aime toujours, d'un amour détaché, distrait, mais néanmoins vrai et durable. Ces hommes que sont nos frères nous reposent de tous ces autres qui sont au centre de nos vies.

*

* *

Le contraire du repos, ne serait-ce pas nos fils ? Je n'en ai qu'un, et mon amour pour lui est aveugle et si passionnément captivant que j'ai peine à imaginer comment peuvent survivre à ces mâles tyranniques et irrésistibles les mères qui en ont plus d'un. Je n'ai pas de fille, mais en observant autour de moi, je constate que les rapports mère-fille échappent à ce combat de séduction incessante. La présence de mon fils à mes côtés m'éclaire sur ce qu'on pourrait appeler la nature mâle, mais elle me fait mieux comprendre encore notre influence de mère sur leur comportement futur avec les femmes. Bref, nous voulons toutes que les hommes changent, mais nous les élevons de telle sorte que nous reportons sur les futures femmes de leur vie la tâche de les transformer.

Lorsque mon fils était bébé, je recevais avec irritation les compliments sur la délicatesse de ses traits, la finesse de son allure et la grâce de ses gestes. Bien sûr, je ne désirais pas perpétuer à travers lui la race des machos qui encombrent encore notre route, mais toutes ces remarques mettant en valeur des qualités dites féminines m'agaçaient. L'éducation à donner à nos fils nous renvoie aux contradictions et aux ambivalences qui définissent nos propres rapports aux hommes. Mon fils m'a appris que je n'échappais pas à la règle.

Pour faire plaisir à son père qui n'avait eu que des garçons, je souhaitais ouvertement une fille. Mais en mon for intérieur, j'espérais un garçon. La seconde qui suivit sa naissance, le médecin annonça : « C'est un garçon » ; je répliquai : « C'est une fille que je voulais » et il rétorqua : « Vous n'avez plus le choix. » Je vis ce bébé rose et blond, vagissant doucement comme beaucoup de bébés nés par césarienne, ce bébé garçon, mon fils, cet homme définitif de ma vie. Je vécus avec lui toute une nuit d'amour. Il avait quatre jours et l'infirmière du soir avait oublié de venir le reprendre pour le ramener à la pouponnière. Je me gardai bien d'appeler le poste de garde. C'était la nuit de Noël. Collé à moi, je lui chantai tous les cantiques appris dans mon enfance et je sommeillai dans une semi-conscience, mon Enfant-Jésus dans les bras.

Au petit matin, l'infirmière en chef entra, me souhaita Joyeux Noël et, découvrant le bébé dans le lit, sursauta : « Vous l'avez gardé toute la nuit avec vous ? » Je bégayai, prise en flagrant délit. Je me sentais coupable sans vraiment savoir de quoi. « Vous auriez pu l'écraser en dormant. » Je protestai gauchement qu'une mère ne pouvait pas écraser son bébé. « C'est fait, c'est fait, mais que ça ne se reproduise plus », ajouta-t-elle sèchement en repartant avec mon fils interdit. Sans le savoir, je vivais à travers cet incident bouleversant toute l'histoire de la mère et du fils. Une histoire de séduction réciproque, où la tentation est si grande parfois de faire en sorte que le fils soit le seul homme à ne pas échapper à notre amour. Surtout quand d'autres, en y parvenant, nous ont blessées.

L'adolescent d'un mètre quatre-vingt-six qui marche à mes côtés aujourd'hui m'attendrit, m'inquiète et m'intimide. Il se joue de moi avec ma totale complicité. Le matin, lorsqu'il passe la tête à la porte de ma chambre pour dire au revoir avant de partir au collège et qu'il déclare avec cet humour si particulier qui sert de façade à ses émotions : « Mère, vous avez l'air dévasté, je crois que votre ménopause approche », il s'attend à recevoir un oreiller sur la tête. Les jours où le projectile ne vient pas – n'arrive-t-il pas que l'on comprenne, même endormie, ce que l'humour masque de vérité – il devient tout chose, s'approche doucement, penche son corps d'escogriffe, dépose un soupçon de baiser sur ma joue et proclame : « Maman, maman, c'était une blague. Tu es merveilleusement belle... et jeune... » En l'entendant dévaler l'escalier comme une cavalerie, je souris aux anges.

*
* *

Avant nos fils, nos maris, nos amants, nos amis et nos frères, il y a le père. De nos jours, l'on semble redécouvrir son importance. J'ai raconté mon père [1], cet homme qui m'a fait si peur, m'a tant fascinée et obsédée. Je n'ai plus les larmes aux yeux, comme cela m'est arrivé si longtemps, quand je vois dans la rue un père qui marche, la main sur l'épaule de sa fille. Tout ne se rattrape pas dans la vie, j'ai fini par admettre cette vérité simple. Comme il m'a fallu plus de trente ans pour comprendre que sa révolte perpétuelle contre la bêtise, l'étroitesse d'esprit et le conformisme, avait forgé mon tempérament au moins autant qu'elle avait compliqué mes rapports aux hommes.

Sans doute, la peur que sa présence bruyante, imprévisible et rageuse provoquait chez la petite fille que j'étais, permet-elle à la femme que je suis de

1. *Une enfance à l'eau bénite,* Paris, Le Seuil, 1985.

comprendre, sans la justifier bien sûr, la peur panique enfouie dans le cœur de tous ces hommes violents qui tuent et qui battent les femmes et cette autre peur physiquement inoffensive mais moralement insupportable que trop d'hommes éprouvent à notre endroit.

Je connais des femmes dont les pères furent exemplaires. Ils les ont aimées, cajolées, portées aux nues, rassurées, et pourtant la vie amoureuse de ces dernières est un désastre. L'enfance heureuse ne paverait donc pas nécessairement la voie au bonheur ? Ces pères trop aimants n'ont pu, apparemment, être remplacés dans le cœur de ces filles. Petite, je croyais que tous les hommes étaient plus gentils que mon père. D'autres auraient conclu au contraire que tous les hommes devaient être à son image et qu'il valait mieux les éviter.

Le jour où j'ai cessé de craindre mon père, il a perdu de sa fascination à mes yeux. Il est devenu un vieillard comme les autres, un homme dépendant, un peu confus, abattu, qui n'avait plus rien de commun avec mon « vrai » père, cet homme contre lequel je me suis battue et dont la présence menaçante m'obligeait à un qui-vive permanent. Certes, il n'a jamais levé la main sur nous, mais il faisait planer dans la maison un danger plus grand encore, celui de nous entraîner dans la folie qui le guettait et le terrifiait.

Vers la fin de sa vie, alors que la mémoire lui faisait parfois défaut, je m'opposai un jour à ce qu'il quitte, seul, sa maison, par crainte qu'il ne se perde en ville. Je courus vers lui alors qu'il avait franchi le seuil et voulus m'interposer physiquement. Il se retourna, blanc de rage, et retrouva sur-le-champ les mots blasphématoires qui lui avaient toujours servi de vocabulaire. L'espace d'un instant, monta en moi l'effroi familier de mon enfance. Le corps secoué de tremblements incontrôlables, je hurlai à mon tour des blasphèmes. Là, tel un éclair, je vis passer dans son regard la terreur qui toute sa vie lui avait tenu lieu d'émotion.

A ce stade de ma propre vie, je croyais que l'indifférence avait remplacé tous les autres sentiments que mon père avait provoqués en moi. Je me leurrais : comme après un accident, je fus en état de choc. Durant quelques jours, la vieille obsession remontant à la surface, je revécus des scènes pénibles de ma petite enfance, je retrouvai des prétextes pour parler de mon père et je redevins inquiète et irritable. Mon « vrai » père était vivant de nouveau.

Quelques semaines plus tard, le vieillard dont je portais le nom entra à l'hôpital pour ne plus en ressortir. Je me rendis à son chevet. Combien de fois ? Je ne saurais le dire. Puis il s'éteignit. J'arrivai trop tard. Je sais que ma mère était dans le couloir et qu'elle pleurait. Je ne suis pas entrée dans la chambre. Ou peut-être que si ? Je ne m'en souviens plus car cela ne fait que quelques années. Le père dont je me souviens, c'était il y a tellement plus longtemps.

2. La vieille menace féminine

J'ai rencontré Thomas et j'ai éclaté de rire. Jusqu'à la fin tragique de sa vie, le son de sa voix au téléphone ou son apparition toujours soudaine et imprévue devant moi me mettaient le sourire aux lèvres. L'humour est une arme redoutable de séduction et T., qui n'avait ni la tête de Rock Voisine ni le physique d'Arnold Schwarzenegger, l'avait compris. Un soir, il me fit tant rire que je lui tombai dans les bras. Il savait que je n'étais pas ce qu'il est convenu d'appeler une femme libre et c'est précisément ce qui l'autorisa à laisser s'exprimer une fougue amoureuse qu'autrement il aurait refoulée.

Son travail l'amenait à voyager de par le monde et il me fit une cour spectaculaire de Chypre à Johannesburg, en passant par Atlanta, Rio et Riyad. Son port d'attache, c'était le combiné du téléphone. C'est bien connu, il est plus facile pour certains d'aimer à distance que face à face. Au téléphone, il me racontait sa vie, exprimait ses peurs, ses doutes ; il se livrait avec une franchise presque brutale. Par contre, lorsque j'étais en sa présence, il se refermait comme une huître et, devant mes questions trop insistantes, il rebondissait toujours et encore par des facéties.

Mais lorsqu'un homme nous émeut, nous savons trouver le chemin vers ses ombres et son mystère. Thomas était un écorché. Dans l'intimité, quand la tendresse prenait le pas sur la sensualité, je ne savais plus si c'était une joie trop intense ou le désespoir qui lui faisait monter les larmes aux yeux. Il me bouleversait et j'étais impuissante devant son malheur.

Il me comblait de cadeaux trop dispendieux pour ses revenus. Il en riait car, disait-il, le plaisir qu'il éprouvait à se retrouver côte à côte avec les cheikhs du pétrole ou les industriels milanais dans les boutiques de luxe où ces derniers achetaient montres, bagues et colliers comme d'autres des pochettes d'allumettes n'avait pas de prix à ses yeux. « J'aime me ruiner », disait-il devant mes protestations. Rien n'était plus vrai, l'avenir me l'apprendrait.

L'amitié prit peu à peu le pas sur tout autre sentiment. Ce fut facile car je l'aimais d'affection et lui ne demandait qu'à être libéré de ce sentiment trop menaçant qui l'habitait. Je devins ainsi la confidente inconditionnelle de ses amours à répétition. Car T., célibataire jovial et cosmopolite, avait l'embarras du choix. Toutes les capitales du monde constituaient son terrain de chasse, mais les proies ressemblaient souvent à des attaquantes. A Rome, c'était la femme d'un diplomate ; à Washington, une économiste du Fonds monétaire international ; à Beyrouth, une avocate chrétienne. Il ne se vantait pas de ses conquêtes, il s'en étonnait. Parfois, ce qu'il appelait sa petite lumière rouge s'allumait. Cela signifiait un frémissement inquiétant de son cœur. Un danger d'attachement. Mais l'alerte ne durait pas puisqu'il repartait le lendemain à l'autre bout du monde. « Celle-là me plaît trop. Oh, qu'elle me plaît trop ! Que dois-je faire ? », demandait-il mi-taquin, mi-préoccupé. Je répondais inlassablement : « Tu l'aimes ou tu ne l'aimes pas ? » Et il répliquait : « Tu as le don de poser les mauvaises questions. Ce que tu peux être embêtante ! » C'était embêtant en effet d'admettre la présence de cette panique enfouie si profondément en lui qu'il ne la sentait plus que sous la forme d'un engourdissement.

Il s'attendrissait devant les bébés, ce qui est rare chez les hommes plutôt attirés par les enfants plus âgés, quand ces derniers peuvent soutenir une conversation. Il rêvait de fonder une famille, mais était incapable de l'envisager réellement. Il s'installa en ménage, plus d'un an, avec une jeune femme visiblement très éprise de lui. Durant cette période, je le vis moins fréquemment, d'autant que nous n'habitions plus sur le même continent. Mais nos conversations outre-Atlantique ne cessèrent pas. Il souhaitait si fortement que « cela marche ». Je l'encourageais, tentais de le rassurer, lui rappelant qu'il me semblait plus inquiétant de vieillir seul qu'entouré de ceux qui nous aiment. Je devinais par ses réticences qu'il pensait exactement le contraire.

Il quitta cette femme, déchiré de la faire souffrir, mais délivré momentanément de son angoisse. Et il reprit sa vie de séducteur-séduit. Un jour, le téléphone sonna. Il était à une heure d'avion de chez moi et il songeait à faire un voyage éclair. « Arrive ! », lui dis-je. C'est ce qu'il voulait entendre.

Quand je le vis, il m'inquiéta. Il ne riait pas et je fus incapable, comme à notre habitude, de le dérider. C'était grave. Nous eûmes une conversation sérieuse sur les événements mondiaux. Il avait séjourné en Amérique centrale et me fit un récit détaillé de ses rencontres et une analyse percutante de la situation politique. Nous n'avions encore jamais passé deux heures sans faire de blagues. Puis, je sus qu'il était prêt à la confidence. « Et alors, que se passe-t-il dans ta vie ? » Il soupira, me prit la main et je fus emportée par les flots de sa désespérance. Il n'en pouvait plus de faire pleurer les femmes qui s'attachaient à lui. Il lui arrivait au petit matin de se réveiller à côté d'une femme avec qui il avait passé une nuit d'amour alcoolisée et dont il avait oublié le prénom. Il désirait s'attacher, mais dès qu'il ressentait trop vivement l'attachement de l'autre, la peur, une peur sèche, aveugle, coupante s'emparait de tout son être. Il l'admettait ; il ne s'en défendait plus, il était perdu.

Comment pouvais-je lui expliquer que si les femmes le menaient à sa perte, son salut passait aussi par une femme. Une femme qui l'eût rassuré, apprivoisé, pacifié, une femme qui l'eût aimé en lui donnant le sentiment qu'il était toujours libre : un tour de force à la portée de peu d'amoureuses. Cet homme, apparemment un coureur, cet homme en fuite de lui-même était misérable. Ne croyant pas aux vertus thérapeutiques de la psychologie, comme beaucoup d'hommes d'ailleurs – « quand je me couche sur un divan, c'est pour faire la sieste ou pour l'amour, ma cocotte » –, il renonçait à retourner aux sources de la peur de s'abandonner. Comment pouvais-je l'aider, sinon en l'écoutant ? Mais il est impossible d'assister à l'effondrement, même momentané, d'un être qui nous est cher, sans être entraîné soi-même par le mouvement. Ce fut encore une fois l'humour qui vint à son secours. Nous fîmes semblant d'y croire. Et il repartit comme si de rien n'était, vers d'autres capitales peuplées de jolies femmes qui s'ennuyaient avec leurs maris et ne boudaient pas les délicieuses distractions qu'avait à leur offrir mon drôle d'ami, volage et pudique à la fois.

Il finit par tomber amoureux, fort amoureux, d'une femme divorcée, je crois. La sonnerie du téléphone se fit donc très irrégulière. Il vivait à l'étranger dans le pays de sa bien-aimée. Mais il semblait incapable, comme beaucoup d'hommes d'ailleurs, de concilier sa vie personnelle et sa vie professionnelle. De plus en plus, le ton de sa voix m'inquiétait ; d'autant que ses propos se voulaient rassurants. Il allait franchir les obstacles qui s'opposaient à son désir de vivre avec cette femme, laquelle souhaitait également partager sa vie. Des mois passèrent, ses coups de téléphone redevinrent plus fréquents. Les choses ne s'arrangeaient pas. Cette femme ne pouvait le suivre sans retrouver un travail. Or cela apparaissait impossible. Thomas semblait découragé. Enfin, il avait vaincu la peur de l'engagement amoureux et voilà que la vie s'interposait. P... fut le dernier mot que je l'entendis prononcer. Plusieurs semaines s'écoulèrent sans nouvelles de lui. Puis, un soir, un ami commun m'appela de Genève. La voix blanche, il m'annonça sa fin tragique sur une autoroute qui traverse tout un continent. Je ne dormis pas. Le lendemain, il me semblait apercevoir sa silhouette parmi les hommes qui marchaient dans ma ville. A cause de nos relations épisodiques, je ne suis jamais parvenue à croire qu'il est vraiment mort. Je regarde des photos prises jadis avec mon fils et ma famille. Sur toutes, il fait le pitre... C'est le souvenir que je veux garder de lui. Qu'irais-je faire sur une tombe, non loin de la Méditerranée qu'il aimait tant. Je ne l'ai jamais connu immobile. Mais il arrive que ceux qu'on appelle des coureurs de femmes soient des hommes meurtris, apeurés, qui plutôt que de courir vers les femmes s'enfuient d'eux-mêmes vers leur destin, dans un bruit de ferraille épouvantable.

*

* *

De Nathan, je connaissais les ouvrages qui doivent bien tenir sur un rayon entier de bibliothèque. A l'université, la lecture de ses livres était obligatoire. Qu'il soit mort ou d'âge canonique me semblait évident. C'est pourquoi ma surprise fut totale lorsque je le rencontrai dans un colloque international en Europe. Petit de taille, musclé comme un athlète, N. donnait l'impression d'un enfant hyper-actif qui avait vieilli. Mais il n'était pas le vieillard que j'imaginais. Il avait la cinquantaine juvénile de ces hommes que l'intelligence fulgurante protège de l'âge. Et il en jouait, conscient qu'elle était son arme privilégiée de séduction. Car il avait un besoin irrépressible de séduire les femmes, celles du moins qui se trouvaient dans son champ de vision. Sa tactique, c'était l'agression intellectuelle. Il aimait qu'on lui résiste et prenait d'assaut les femmes qui lui tenaient tête ou l'envoyaient gentiment promener.

Durant les trois jours que durèrent le séminaire, Nathan avait décidé de déployer son artillerie sur moi. Dans ce genre de rencontres à participants limités, où nous vivons ensemble du matin au soir, il est difficile de prendre ses distances. D'autant que tout le monde recherchait sa présence prestigieuse. Aux repas, il m'installait d'office à sa table ; aux pauses-café, il me suivait de l'œil. J'étais à la fois flattée, amusée et légèrement ennuyée. Mais il n'avait pas de temps à perdre, nous allions repartir vers nos pays respectifs. Il fonça le second soir, tête la première. Nous déambulions à travers les rues en lacet de ce rocher de luxe qu'est Monaco. Après un interrogatoire en règle – âge, situation de famille, vie amoureuse, religion –, il décréta que je lui plaisais, qu'il n'était pas question de ne pas me revoir, que nous allions publier ensemble, que mon insolence intellectuelle lui donnait des érections et que, à vrai dire, il avait passé l'âge des pratiques masturbatoires. Je possédais, à ses yeux, une qualité essentielle : mon tempérament était celui d'une femme juive. Étais-je bien certaine de mes origines canadiennes-françaises catholiques ? J'avais atterri dans un film de Woody Allen.

Je ne pouvais m'arrêter de rire. Aucunement décontenancé, il continua son offensive. Il n'était pas beau, ne faisait pas bien l'amour, mais je finirais par craquer pour lui. De toute façon, un jour, comme toutes les autres femmes intéressantes qu'il avait connues, je le laisserais tomber comme une vieille chaussette. Entre-temps, nous avions une histoire à vivre ensemble. Ce serait compliqué, sa femme était jalouse, dangereusement jalouse, mais il était fataliste. Cette femme, il la craignait comme Yahweh ; elle le poursuivait en le culpabilisant. Il sentait bien qu'avec moi il s'emprisonnerait aussi. Condamné, il était un homme condamné à dépendre des femmes qui l'écrasaient. « Ah ! disait-il théâtral, il eût mieux valu que je sois homosexuel ! » Il me raccompagna à la porte de ma chambre – nous étions logés dans un de ces palaces qui jouxtent le casino – et il voulut entrer. Je le remballai vigoureusement ne sachant s'il fallait rire ou me fâcher.

Celui-là se ruina en téléphone. Il appelait jusqu'à dix fois par jour... De Tel-Aviv, de Munich, de Londres, de San Francisco. Estomaquée, j'avais le privilège de vivre avec un fou inoffensif et brillant qui me faisait la cour verbale la plus élaborée, la plus excentrique, la plus flatteuse et la plus érotico-intellectuelle qu'il m'eût été donnée de vivre. Puis un jour, il finit par me convaincre d'aller le rejoindre à New York pour le week-end.

Il exigea que j'arrive à l'heure du déjeuner. « Après, précisa-t-il, je ne contrôle plus mon horaire, et ce jusqu'au lendemain. – Pourquoi ? demandai-je. – Je t'expliquerai », répondit-il sans donner davantage de précisions. Nous déjeunâmes dans un de ces délicatessen où il avait ses habitudes, et la serveuse, une grosse femme dont la chevelure suggérait un incendie de forêt, lui donnait du « Doctor » à chaque fin de phrase comme on a l'habitude de faire avec les professeurs dans les pays anglo-saxons.

Elle lui fit remarquer d'un ton coquin qu'il semblait collectionner les jolies femmes. Cette familiarité ne provoqua chez lui aucun malaise et il rit de bon cœur. « Je la connais depuis vingt-cinq ans », dit-il en guise d'excuse. Puis, il passa aux choses sérieuses. Il m'expliqua qu'il lui était impossible de venir à New York, sa ville natale, sans aller voir sa mère qui habitait Brooklyn. N'ayant pu arriver la veille, c'était donc aujourd'hui qu'il irait la voir. « Eh bien, vas-y, lui dis-je. Cet après-midi, j'irai au musée. – Tu ne comprends pas, répondit-il en s'énervant, nous sommes vendredi. Ce soir c'est le sabbat, elle m'attend pour le dîner. – Eh bien, ce soir, j'irai au concert et tu me retrouveras en fin de soirée. » Mon attitude accommodante ne faisait qu'augmenter son ahurissement. « Mais tu ne comprends rien ! » A partir de là, il éleva la voix tout en tentant de contrôler sa rage, une rage dont je n'étais évidemment pas la cause. « Je dois dormir chez elle. C'est le sabbat. Jamais elle ne me pardonnerait. Elle serait capable d'appeler ma femme pour la mettre au courant si je repartais. Cela ne se fait pas. » Puis, il baissa de nouveau le ton. « Et je vais te dire le pire : mon père est mort depuis deux ans et, depuis, chaque fois que je lui rends visite, elle exige que je couche dans le lit de mon père à côté du sien. – Mais tu n'as qu'à refuser et dormir sur un canapé », répliquai-je, estomaquée. « J'en suis incapable, incapable, m'entends-tu. Je ne peux pas lui refuser cette faveur. Elle en mourrait ! » Et il se tut, effondré par son triste sort de fils.

J'avais devant moi un homme dans la cinquantaine, une sommité dans son domaine, un homme d'une liberté intellectuelle remarquable, qui décrivait sa mère, de la même façon que sa femme d'ailleurs, comme une espèce de mante religieuse. Décidément, cette scène dépassait en loufoquerie ce que j'avais vu dans les films de son coreligionnaire Woody Allen. Je l'imaginais, dans le métro vers

Brooklyn, se préparant mentalement à retrouver l'auteur de ses jours. Puis, au bout de la table, la kippa sur la tête, recueilli, récitant les prières, pendant que, de l'autre côté de l'Hudson, la catholicité se languissait pour lui. Mais je l'imaginais surtout en pyjama, rabattant les couvertures du lit du père défunt et, une fois couché, éteignant la lampe de chevet posée sur la table qui séparait les deux lits. « Bonne nuit, mère », disait N. « Dors bien, mon fils », répondait la maman.

Le lendemain soir, il me rejoignit au théâtre où il arriva en retard, fin du sabbat oblige. Il se glissa à mes côtés et me prit la main. Je lui souris et lui fit signe qu'il avait oublié d'enlever sa kippa. Il leva la main, et ne toucha que sa calvitie. La rencontre judéo-chrétienne ne fut jamais consommée.

*

* *

Didier a eu une chance inouïe : à sa naissance, les anges ont tout déposé dans son berceau : beauté, richesse et une sensibilité à vif qui le met à l'abri de l'arrogance et de la suffisance. Je l'ai rencontré, entre ciel et terre, au-dessus de l'Atlantique, et comme cela arrive parfois dans cet univers clos qu'est l'avion, nous sommes vite passés aux confidences. En trois ou quatre heures, il m'avait raconté l'histoire de sa vie. Ce moment de grâce a scellé une amitié dont l'ambiguïté demeure, ce qui ajoute au plaisir que nous procurent nos rencontres épisodiques et les multiples coups de téléphone qui constituent la base de notre relation. Nous divergeons d'opinion sur la politique en général, mais nous évitons ces questions épineuses et conflictuelles. D. est un homme généreux et inquiet qui bluffe en affaires, mais qu'une femme peut déstabiliser et culpabiliser facilement. Lorsque cela arrive, il se sent obligé de débourser. Certains diraient qu'il achète les femmes quand il les a blessées mais, à y regarder de plus près, l'on constate que plusieurs d'entre elles se jouent de son remords qu'elles monnaient selon leurs besoins, qui sont toujours très grands.

Didier, en quittant sa femme, s'est retrouvé avec seulement sa garde-robe et ses cartes de crédit. Adieu maisons, meubles, autos, bateau. Normal, puisqu'il laissait aussi trois adolescents derrière lui et qu'il a un sens poussé de ses responsabilités. Trop poussé, diraient certains, puisqu'il s'est toujours abstenu de porter quelque jugement que ce soit sur les demandes de pension exorbitantes de l'épouse délaissée. Il n'a pas discuté, il a payé. Devant ma réaction scandalisée, il a haussé les épaules et souri ironiquement. Il récoltait ce qu'il avait semé et tout était de sa faute, de sa très grande faute. La décision de rompre un mariage qui ne fonctionnait plus depuis plusieurs années lui était facilitée par son amour passionné pour une belle Orientale qui lui faisait traverser la planète deux fois par mois. Il en était fou, elle se consumait pour lui, ce bonheur à vif se payait comptant. Il conservait dans la poche intérieure de son veston un billet d'avion vers la destination de son cœur, qu'il pouvait utiliser en tout temps lorsque le désir d'être aux côtés de sa flamme devenait intolérable. Ils se retrouvaient alors dans tous les palaces d'Orient ou dans des paillotes, sur des îles de cartes postales, là où l'amour ne naît pas nécessairement mais où il trouve le décor pour se déployer en dehors de toute réalité.

Durant ces mois d'extase, je le vis à quelques reprises et lui fis remarquer que, pour un homme amoureux, il n'avait pas bonne mine. Il ne s'en défendit pas et mit sur le compte de la fatigue des voyages ses cernes et ses traits tirés. Il perdait du poids et éprouvait toutes sortes de malaises indéfinis qui l'amenaient à consulter des médecins, lesquels bien sûr ne trouvaient rien de physiquement anormal. Didier était plutôt rongé de culpabilité face à son ex-épouse et ses enfants, et la peur d'être emporté par ce nouvel amour, la peur également des exigences éventuelles de cette femme le déchiraient. On était loin de l'image du mâle triomphant et irresponsable qui abandonne ses obligations familiales pour s'encanailler.

Souhaitant que je connaisse l'élue, il organisa une rencontre. Je ne sais le portrait qu'il avait tracé de moi, mais je sentis qu'elle avait le sentiment de vivre un examen de passage. Elle le réussit d'ailleurs haut la main. Cette femme séduisante et enjouée était profondément amoureuse de mon ami. Je perçus aussi qu'elle n'était pas de celles qui s'accommoderaient longtemps de ces va-et-vient intercontinentaux. Elle avait trouvé son homme et rien ne l'arrêterait dans sa volonté de le mettre au centre de sa vie, même si elle devait, pour ce faire, quitter travail et pays. De plus, elle était sans enfant et, à sa façon de poser son regard sur D., il était clair aussi qu'elle ne tarderait pas à désirer que cet amour s'incarne.

« Qu'en penses-tu ? » me demanda-t-il, inquiet, dès que nous eûmes quelques minutes de tête-à-tête. « Je pense qu'elle t'aime pour toi et que tu as raison de t'inquiéter ; elle n'est pas prête à lâcher prise », ajoutai-je en riant. « Tu confirmes donc mes craintes », dit-il mi-souriant, mi-tourmenté.

Des mois s'écoulèrent durant lesquels leur passion s'intensifia sans que les tourments de mon ami ne cessent. Ils étaient au cœur de nos conversations. Les hommes se confient peu, on le sait, ce qui ne signifie pas qu'ils peuvent toujours garder en eux-mêmes ce qui les habite et surtout ce qui les perturbe. J'acceptais d'autant plus d'être sa confidente que la solitude de cet homme me préoccupait. Car l'affection profonde que j'éprouvais pour lui me permettait de deviner que ses exaltations et ses découragements successifs, face à une situation qu'il vivait comme un espoir et une menace, finiraient par avoir raison de son équilibre plus fragile que les apparences ne le laissaient supposer.

Je craignais donc que, sous la pression, D. se

mette au volant du bolide qui lui servait de véhicule ou qu'il se perde dans un nuage aux commandes de son avion. Un jour, je lui avouai mes craintes, et le silence qui suivit dura trop longtemps. J'avais deviné ce qu'il était interdit de mettre en mots.

Pourquoi l'amour, cet amour partagé, le faisait-il trembler, lui qui devenait inébranlable quand il s'agissait de jouer à qui perd gagne avec des millions ? En dépit de ses réticences, Didier consentit à la demande de plus en plus pressante de sa bien-aimée de s'installer en Europe. Indépendante de fortune, elle abandonnait dès lors son métier, un métier impraticable en dehors de son pays. Il la convainquit cependant de ne pas résider dans la même ville que lui. Quarante minutes d'avion les séparaient l'un de l'autre. Dans un premier temps, cette distance parut le rassurer tout à fait. La passion, avivée par la fréquence de leurs rencontres, le transforma. Il redevint rieur et radieux.

Durant cette période d'accalmie, ce fut plutôt elle qui me téléphona. J'étais la seule amie et confidente de Didier, elle-même était coupée de ses propres amis et, comme toutes les femmes amoureuses, elle avait besoin d'expliquer et d'analyser son amour. Pourquoi était-il si inquiet ? Pourquoi ses craintes n'arrivaient-elles pas à s'estomper devant l'amour qu'elle lui portait ? Pourquoi semblait-il ne pouvoir aimer que dans les déchirements ? Pourquoi, enfin, la faisait-il souffrir, elle qui ne voulait que son bonheur ? Histoire banale, questions banales, sauf quand on est soi-même concerné. Je ne pouvais pas la rassurer. Simplement lui rappeler que l'homme qui l'aimait souffrait aussi, de son incapacité à être heureux et de son impuissance à l'apaiser.

Je connaissais suffisamment mon ami pour imaginer la suite, une succession de séparations et de retrouvailles où l'espoir et le découragement se confondaient. Son divorce prononcé, D. était libre, il n'avait que quarante ans et une femme l'aimait. Apparemment, c'en était trop. Didier n'est pas un cas d'espèce. Nombreux sont les hommes de sa génération qui, suivant les traces de leur père, prirent femme et fondèrent une famille. Est-ce à dire qu'ils ne craignaient pas l'engagement amoureux ou n'est-ce pas plutôt que la pression sociale les obligeait à dominer cette peur ? Aujourd'hui, tous les Didier peuvent échapper à leur destin de *pater familias*. L'absence d'alibi permet à la vieille menace féminine de remonter à la surface.

La belle Orientale dévastée est retournée à l'autre bout du monde. Sans doute ne s'en remettra-t-elle pas, car il est faux de croire que toutes les blessures d'amour cicatrisent. D'autant que la fin de l'histoire, de banale devint pitoyable. Un soir, poussée par l'intuition, elle arriva chez lui sans prévenir. Une femme était là, orientale comme elle. Alors, la femme trahie devina. S'adressant à l'intruse dans sa propre langue, cette dernière lui répondit. Les deux femmes venaient du même pays et de la même ville.

D. avait trouvé son mirage. Il pouvait momentanément anesthésier son échec. Il avait, croyait-il, retrouvé une légèreté du cœur ; il respirait de nouveau, illusionné par le regard amusé et surpris de la très jeune femme. Lorsqu'il osera affronter ses démons, laisser surgir l'immense tristesse qui repose en lui, lorsqu'il découvrira que la distraction, aussi enjouée soit-elle, ne peut tenir lieu d'émotion profonde, il me fera signe de nouveau. Car, depuis cet affligeant épisode, je suis sans nouvelles de mon bel ami.

*

* *

Léon se veut un homme de son époque, un homme de la fin du siècle, dépouillé de tous les attributs du machisme déshonorant. Il a épousé une femme qui lui a donné un enfant et lui en a apporté un second en dot. L. est devenu trop sensible, trop tolérant, trop compréhensif, bref trop vertueux. Son épouse l'y a fortement incité ; elle se joue désormais de tous ses excès. La crainte, dit-on, est le début de la sagesse ; L. est en voie de devenir un sage, comme on dit d'un pays qu'il est en voie de développement. Par ailleurs, si le machisme s'explique par la peur que les mâles ont des femmes, il faut en déduire que l'homme non machiste n'a aucune crainte face à elles. D'où le paradoxe de L. antimachiste tremblant devant son épouse.

En apparence, le couple est idéal. Ils aiment les

mêmes livres, les mêmes films, les mêmes lieux de vacances, ils partagent les mêmes idées politiques, la même conception de l'éducation des enfants et croient au même Dieu. Or, ayant connu L. au cours de notre adolescence, il me faut constater qu'il y a eu chez lui métamorphose. Ce fut toujours un garçon à la sensibilité exacerbée, c'est vrai. Tout le monde se riait de l'effort entêté qu'il mettait à justifier l'injustifiable, mais il pratiquait tout de même la malhonnêteté intellectuelle avec cynisme et n'éprouvait aucun complexe à se jouer des filles comme d'un yoyo.

Il vécut durant quelques années, pendant ses études universitaires, avec une camarade de classe en adoration devant lui et à qui il fit plusieurs infidélités sans trop de remords. Il a toujours fait preuve d'un sens de l'humour variablement apprécié certes, mais qui témoignait bien de son plaisir de vivre. La rencontre de celle qui deviendra sa femme fut son chemin de Damas, un chemin que n'aurait pas désavoué Claudel.

Léon est devenu un homme sous influence. Aucune autre définition ne s'applique davantage à son cas. Sa femme a réussi à le convaincre qu'il n'était pas celui qu'il avait toujours cru être, mais plutôt cet autre, étranger à nos yeux, dont elle lui renvoie l'image. Dans les soirées que nous organisons parfois pour se retrouver en bande, elle l'accompagne. Il va sans dire qu'elle s'impose, puisque nous n'y venons jamais en couple. Quel plaisir, en effet, pourraient retirer les conjoints de ces conversations impossibles à décoder sans toutes les références à notre passé commun !

Or, elle semble indifférente à cette exclusion et intervient quand bon lui semble. Son époux, que l'on a connu boute-en-train, n'ouvre plus la bouche sans consulter d'abord sa femme du regard. Il évite désormais de tenir ces propos chargés de sous-entendus égrillards ou ironiques qui nous faisaient tant réagir dans la période heureuse de notre jeunesse. En clair, notre ami se comporte comme ces victimes d'accident devenus amnésiques des faits antérieurs au traumatisme.

A l'occasion du dernier anniversaire de L., l'épouse avait décidé d'inviter tous ses amis. Il n'aimait pas les surprises, me dit-elle au cours de notre brève conversation téléphonique, mais il avait tort. Je suggérai qu'il valait sans doute mieux l'en informer, et ajoutai en blaguant qu'on connaissait tous l'histoire de ce jubilaire à qui l'on avait organisé une fête surprise et qui, sous le coup de l'émotion, s'était payé une crise cardiaque. L'incident lui parut désopilant, ce à quoi elle ajouta que, si son mari était impuissant à « gérer son stress », elle n'envisageait pas un long avenir avec lui. Estomaquée, je me retins de tout commentaire.

Nous nous présentâmes tous, à l'heure prévue, quelque peu mal à l'aise de nous retrouver face à cette femme pour laquelle nous n'éprouvions aucune sympathie. Je l'observais en train de s'agiter autour de la table. Tout était parfait. La maison était d'une propreté excessive. Mais les meubles, fort beaux, n'arrivaient pas à réchauffer l'atmosphère. On avait l'impression d'être dans une vitrine de magasin.

Léon arriva à l'heure prévue. Quand il nous aperçut, il se mit à trembler. Il faisait pitié. « Tu n'as pas l'air heureux », dit sa femme en avançant vers lui. Il n'arrivait pas à reprendre contenance. Il se laissa choir dans un fauteuil et demeura silencieux plusieurs minutes. Avec effort, chacun y allait d'une blague sur son compte, mais la soirée était ratée, nous le savions tous. Je décidai d'en avoir le cœur net. Qu'arrivait-il à mon ami ?

Le lendemain, je l'appelai à son bureau et l'invitai à déjeuner. Il hésita, compliqua son horaire volontairement, mais je tins bon. Suivant l'exemple de l'épouse, je lui imposai un rendez-vous. Il céda.

Sa nervosité était palpable lorsqu'il me retrouva quelques jours plus tard dans un restaurant discret. Ni l'un ni l'autre n'avions envie de parler. Il me sembla soudain que rien ne devait être dit.

Pourtant ce fut lui qui rompit le silence. D'un ton agressif qui me surprit, il déclara qu'il n'était pas dupe. Il savait que nous n'aimions pas la femme avec laquelle il avait choisi de vivre. Je voulus protester pour la forme, mais il me coupa sèchement. Nous avions cru le connaître, eh bien, nous nous leurrions. Il n'était pas ce rigolo superficiel qui tournait tout en dérision et grâce auquel on s'amusait tant.

Il avait trouvé une femme qui le comprenait et surtout qui le prenait au sérieux. Il devinait bien ce que les hommes du groupe pensaient de lui. Bien sûr, aux yeux de tous ces machos et sans doute à mes yeux aussi, sa femme avait trop d'autorité sur lui. « Eh bien, enchaîna-t-il sur sa lancée, figure-toi que c'est ce que j'aime, quelqu'un qui s'occupe de moi. Vous la trouvez rigide, je suppose, et froide et exigeante ? Moi, ça me stimule. Et ça m'excite pardessus le marché. J'étais un homme irresponsable, on a abusé, vous avez abusé, martela-t-il le regard mauvais, de ma naïveté et de ma générosité. Vous ne croyez en rien, vous désacralisez tout. Elle m'a remis dans le droit chemin en m'obligeant à reconnaître que j'étais un autre que celui que tout le monde voulait que je sois. Voilà ce que j'avais à te dire. Et je suis heureux, plus heureux que je ne l'ai jamais été. Je suis heureux et me fous de ce que la terre en pense. Ma femme m'a toujours prévenu contre vous. Je n'ai besoin que d'elle et de mes enfants. Je suis un nouvel homme. »

Suffoquée, je réussis tout de même à me redonner une contenance. « Il est vrai, osai-je, que tu as beaucoup changé. L'essentiel est que tu sois heureux. Apparemment, tu l'es. – Comment apparemment ! » Je maniais trop bien la langue pour ne pas utiliser les mots à contresens. Je doutais donc de son bonheur ? Qui étais-je avec mes échecs amoureux successifs pour lui faire la leçon ou lui demander des comptes ?

La cruauté n'est jamais loin de la colère. Il me fallait me retirer dignement, sans esclandre. Il sembla se ressaisir un peu, mais je n'attendis pas la fin du repas. J'avais besoin de me rafraîchir l'esprit et, surtout, de me débarrasser de ce malaise incommodant que j'éprouvais. J'avais été idiote et naïve de croire que L. se rendrait vulnérable face à moi. Cet homme appartenait à sa femme. C'était son choix. Quarante ans séparaient Léon de mon oncle. Pourtant, le destin amoureux de ces deux hommes était identique.

*

* *

Cet oncle, récemment décédé, je lui suis redevable d'un des plus grands bonheurs de mon enfance, celui de m'avoir ouvert au monde des livres. C'était un homme infiniment modeste, entré dans notre famille par alliance et qui était considéré par mes oncles et mes tantes avec le dédain qu'expriment les gens du peuple pour ceux qu'intéresse la vie de l'esprit. Heureusement, disait-on autour de moi, qu'il avait épousé ma tante, une femme qui saurait l'empêcher de rêver. Il rêvait, il est vrai, de devenir peintre. Il fut toute sa vie représentant d'une entreprise de peinture.

Mon oncle avait hérité d'une petite bibliothèque, un meuble aux portes vitrées contenant une cinquantaine d'ouvrages de Victor Hugo à Charles

Dickens en passant par Chateaubriand. Il m'incita à lire ces trésors dès que je fus en âge de comprendre à ses yeux, c'est-à-dire vers huit ou neuf ans. Cette bibliothèque, c'était un peu comme l'ostensoir dans l'église, elle imposait le respect, bien en vue dans la salle à manger. Ma tante n'échappait pas à son mystère. Jamais elle n'aurait touché un des livres : « Il faut bien que certains se sacrifient à travailler quand d'autres perdent leur temps », mais elle s'en glorifiait lorsque les rares visiteurs pénétraient chez elle.

A vrai dire, elle avait commencé à gagner sa vie en usine à l'âge de douze ans, et tout travail autre que manuel était considéré par elle comme de l'oisiveté. D'une beauté qui faisait se retourner sur son passage, elle avait connu la vie aventureuse et secrète des jeunes filles de sa classe sociale que fréquentaient les riches bourgeois qui allaient plus tard choisir leurs épouses dans leur propre milieu. A la fin de la vingtaine, toujours belle comme Vénus, mais célibataire et pressée de prendre époux, elle choisit mon oncle, un homme aux préoccupations esthétiques et intellectuelles, qu'elle éblouit sans effort, à qui elle cacha son âge, étant relativement plus âgée que lui et dont elle avait perçu qu'elle pouvait « le mettre à sa main ».

Chaque vendredi, il lui rapportait son enveloppe de paie non décachetée et se faisait remettre quelques pièces pour ses dépenses, c'est-à-dire pour payer ses transports, s'acheter des menthes ou du chewing-gum. La légende veut que, la nuit de noces, il ait téléphoné à sa mère pour prendre de ses nouvelles, et cette délicatesse le poursuivra toute sa vie. Ils n'eurent pas d'enfant et le doute sur sa virilité complétera donc le portrait de cet artiste amateur et de cet « intellectuel » qui avait lu cinquante livres.

A sa façon, il aimait cette femme qui tenait les cordons de la bourse et qui finit par accumuler la somme nécessaire à l'achat d'un petit cottage. Mais ce fut au détriment de tous ses rêves. Il voulait connaître la France, le pays de Pagnol et celui de Monet. Jamais il ne sortit de Montréal, ma tante n'y voyant que dépenses frivoles. « On voit tout ça à la télévision » était son argument. Elle refusait qu'il « gaspille » de l'argent pour acheter des livres. « On en a plein la maison », disait-elle, si bien qu'il s'était résolu à en emprunter à la bibliothèque publique, lui pour qui posséder un livre représentait une richesse inestimable. Plus tard, je lui en offrirai pour avoir la joie d'être témoin de son émotion lorsqu'il caressait la couverture et la portait à son nez afin d'en respirer l'odeur.

Il a vécu toute sa vie dans la négation de ses désirs et l'abnégation de lui-même. Ma tante, réfutant parfois les objections des uns ou des autres sur sa dureté envers son mari, décrétait : « Si je le laissais faire ses folies, on serait à la rue. » Elle, qui n'avait pu épouser ces riches bourgeois plus ou moins mariés qui avaient profité de ses charmes et exploité sa jeune beauté, renvoyait du seul homme qui lui avait cédé l'image d'un être infantile et irresponsable. Et cet homme aux goûts raffinés, isolé dans un milieu implacable où les gens étaient au moins aussi durs envers eux-mêmes qu'envers les autres, cet homme vivra écrasé sous l'emprise de sa « belle rougette » comme il désignait ma tante.

Lorsqu'il prit sa retraite, le tête-à-tête quotidien avec sa femme le rendit ombrageux et irritable. D'autant que la télévision, devenue du matin au soir le centre des activités, fit l'objet de disputes entre eux. Il préférait les émissions plus éducatives qu'elle trouvait « plates à mort ». Il céda là aussi ; il n'avait plus l'âge ni la force morale d'imposer ses goûts. D'ailleurs, il ne l'avait jamais tenté. Il n'avait eu qu'une exigence, quelques années auparavant, une exigence qui avait blessé et humilié ma tante : il refusait désormais de dormir dans le même lit. Elle s'était donc débarrassée du lit double, et la colère s'était ajoutée à l'humiliation en l'obligeant à débourser pour l'achat de deux lits simples. « Il m'a dit qu'il aurait voulu se faire moine[1] ; avec le peu qu'il a jamais su faire avec, ça ne me surprend pas. » Jamais elle ne lui pardonnera son geste, et cela contribuera sans doute à la cruauté qu'elle manifestera à son endroit jusqu'à sa mort.

Car la seule révolte qu'il sut exprimer fut de se laisser mourir à petit feu, sachant la crainte qu'elle

1. Dans l'argot québécois, le moine désigne le sexe mâle.

avait de rester seule. Quand je lui rendais visite, il ne m'interrogeait plus sur mes lectures comme à son habitude. Un jour, alors qu'il était hospitalisé à la suite d'un des nombreux malaises cardiaques qui contribuèrent à sa fin, je tentai, gauchement, d'établir un lien entre l'état de son cœur et la tension créée par la vie frustrante avec ma tante. Il m'interrompit avec fermeté : « Ta tante est une femme vaillante. On n'a pas les mêmes goûts, mais ça n'est pas de sa faute. » Il craignait le constat d'échec bien plus que la mort.

Elle refusait de se rendre à l'hôpital. Ça la rendait trop nerveuse, disait-elle. Les rares membres de la famille de mon oncle habitaient à l'extérieur de la ville et avaient perdu l'habitude depuis trente ans de le fréquenter, ma tante les trouvant encombrants. Nous fûmes donc les seuls à son chevet. Ma tante se lamentait. On ne s'occupait plus d'elle.

Il fallut trouver à l'oncle un foyer de convalescence, euphémisme utile pour désigner le mouroir. Ma tante ne se préoccupait que du prix du loyer. « Ça n'a pas besoin d'être chic, disait-elle, du moment que c'est propre. » Nous avions fini par trouver l'endroit, une construction toute neuve qui ressemblait à un garage où étaient parqués, dans des chambres trop modestes, des vieillards plus ou moins confus.

Mon oncle ne l'était guère, et c'est bien ce qui rendait si pénible le déménagement. Nous allâmes le prendre à l'hôpital, ma sœur et moi, pour ce qui fut de son vivant sa dernière balade en auto. Nous avions la gorge nouée. Mon oncle, très affaibli, réussissait à badiner : « Votre tante serait jalouse de me voir comme ça avec deux belles filles. » Nous tentions de sourire, car il eut été lâche de pleurer devant tant de dignité. « Vous pouvez perdre votre route, je ne suis pas pressé, vous savez. » Alors, nous fîmes quelques détours. C'était un après-midi d'automne éclatant. Il nous parlait de la lumière, une lumière crue de pays froid qu'on ne retrouvait jamais dans les toiles de son cher Monet. Puis il fallut bien arriver à destination. Nous étions si mal à l'aise, si honteuses aussi de l'abandonner de la sorte. « C'est bien propre » fut son seul commentaire lorsqu'il pénétra dans la chambre.

Trente-six heures plus tard, il était mort. Quand on lui annonça le décès de son mari, ma tante se mit à gémir. Elle ne voulait pas rester seule, il ne fallait pas l'abandonner. Elle nous ferait des cadeaux. « Promettez-moi, promettez-moi de pas me laisser ! – Mais, notre oncle est mort, lui criait-on. – Je le sais, je le sais, y'est mort, y'est mort, ça lui fait plus mal. Mais moi ? » hurlait-elle, ahurie de notre insistance à lui rappeler l'événement et rageuse devant notre absence de sympathie pour son sort à elle.

Une fois rassurée sur le fait qu'on allait effectivement s'occuper d'elle, elle cessa ses pleurs et ne reparla plus de l'homme qui avait partagé plus de quarante ans de sa vie. Elle aurait préféré ne pas assister aux funérailles – toujours sa nervosité –

mais nous l'y avons obligée. « Le cercueil est beau. On jurerait qu'il coûte le double du prix. Vous avez fait un bon choix », chuchota-t-elle durant le service funèbre.

La « rougette » était contente.

3. La loi du plus fort

Aucune femme n'échappe à la peur physique des hommes. En dehors de mon père, qui me terrorisait par ses menaces verbales, le premier souvenir de ma peur des garçons est enfoui au plus profond de mon âge. Dès que je pus jouer hors de la maison, c'est-à-dire vers trois ans, j'associai le jeu à la crainte d'être battue par les garçonnets de mon entourage.

A l'époque, une des distractions préférées des petits mâles était de nous rosser. Je me rappelle que mes tortionnaires réguliers étaient les frères de mes petites amies. Ils devaient avoir dans les quatre ou cinq ans mais, déjà, ils frappaient comme des boxeurs expérimentés. Parce qu'ils couraient aussi plus vite que moi, je n'avais aucune chance de me soustraire à leurs griffes. Car lorsqu'ils ne tapaient pas, ils égratignaient. Dans mon cas, ils avaient aussi compris que le supplice le plus efficace consistait à me tirer les cheveux, que je portais longs et bouclés avec beaucoup de fierté. Il ne se passait pas de semaine sans que mes hurlements n'ameutent les voisins et ma mère. Cette dernière avait beau protester auprès des parents de mes agresseurs, rien n'y pouvait changer. La violence de ces petits garçons et la fatalité souffrante des fillettes s'inscrivaient dans l'immobilisme. Les parents souhaitant éviter les coups à leurs enfants n'avaient qu'à les retenir à l'intérieur du foyer.

En dépit des conseils contraires du docteur Spock, il était dès lors indispensable d'apprendre aux enfants comment répondre à cette situation. Les pères et mères enseignaient donc à leurs fils comment se battre et à leurs filles comment se défendre. La nuance est de taille. Toute l'histoire des rapports de force entre hommes et femmes repose sur ce principe simple de l'éducation première.

J'ai donc appris très tôt à ne pas provoquer les garçons, ce qui incluait ne pas les contredire. « Tu dis comme eux, tu fais comme eux. Si ça ne fait pas ton affaire, tu t'en viens à la maison », répétait ma mère. Je ne lui obéissais qu'à moitié, car je devins une spécialiste dans l'art de décamper. Quand ils m'imposaient des jeux qui ne me plaisaient guère, quand ils m'insultaient, le bras déjà prêt à frapper, je me retirais hypocritement à quelques mètres, puis je leur criais les injures qu'ils m'avaient apprises, tout en courant vers la maison à une vitesse telle que les jambes me touchaient aux fesses. Parfois, les plus grands me rattrapaient, mais cela faisait partie des risques.

Le problème se compliqua lorsque j'entrai en

classe. L'école était située dans ma rue, mais à deux intersections plus au sud. S'aventurer en terre étrangère représentait des dangers d'autant plus élevés que nos futurs assaillants nous étaient inconnus. Nos voisins agresseurs, nous avions fini par les connaître, si bien que nous pouvions prévoir leur flambée de violence. Nous savions qu'avec Pierre, par exemple, il fallait éviter de rire de son œil louchant, qu'on devait s'adresser à Georges, le minuscule, sans l'appeler Ti-Pet et qu'on ne devait jamais, mais jamais, se pincer le nez lorsqu'on s'approchait de Guy qui sentait le pipi. A ce jour, il serait erroné de croire que l'apprentissage de ces astuces ne m'a pas considérablement servie dans mes rapports avec les hommes.

Les fillettes partaient donc pour l'école en groupes dans un état d'énervement variable, selon les incidents des jours précédents. La bande de garçons qui nous sautait dessus, émergeant de la ruelle, avait des horaires flexibles qui rendaient imprévisibles les attaques.

Parfois, nous partions plus tôt que prévu et ils apparaissaient ; parfois, nous attendions l'heure limite, ce qui ajoutait à la nervosité la crainte d'être en retard en classe et nous subissions pareillement l'embuscade. Les psychologues diraient de nos belligérants qu'ils contrôlaient leur agressivité ; ils giflaient avec retenue, frappaient les bras plutôt que l'abdomen et lâchaient prise avant que la touffe de cheveux ne leur reste dans les mains. Parfois, nos mères nous accompagnaient et là, bien sûr, ils s'étaient évaporés. Or, les mères n'étaient pas souvent disponibles. La route vers l'école était donc pavée d'obstacles, qu'on finirait bien par surmonter. Quelquefois, il arrivait que, retardée, les camarades ne m'aient pas attendue. Cela me plongeait dans un état de quasi-panique. Surtout quand la rue était déserte : aucun adulte ne pouvait dès lors, en cas d'attaque, me servir de paratonnerre. J'ai ainsi reçu quelques raclées solitaires qui m'ont plongée dans une angoisse dont, heureusement, je n'ai jamais retrouvé la même intensité au cours de ma vie. C'est aussi parce qu'elles ont découvert à l'âge le plus tendre l'excitation trouble que procuraient aux petits garçons les coups dont ils abreuvaient les filles, que les femmes craignent de se promener seules dans les rues.

Je ne tarderais pas cependant à comprendre l'importance de me faire des alliés parmi les mâles. Vers l'âge de sept ou huit ans, la tâche apparaissait possible, car certains semblaient trouver plaisir à notre compagnie. C'était le cas de Luc. Il jouait des muscles, paraissait avoir dix ans alors qu'il en avait huit – à cet âge la différence est de taille – et, surtout, il recherchait la présence des filles. Cela faisait ricaner les garçons qui le traitaient d'efféminé dans son dos mais n'auraient jamais osé le lui dire en face. Car Luc savait frapper ; il cognait fort si nécessaire et ainsi commandait leur respect.

Nos gardes du corps sauvaient l'honneur de leur

sexe, tout en nous rassurant. Si tous les garçons pouvaient physiquement nous battre, tous ne le souhaitaient pas ; au contraire ; ils mettaient même leur force à notre disposition. Luc fut l'instrument de ma vengeance. Je n'avais qu'à lui désigner un assaillant pour qu'il lui saute dessus. Sauf que je devais payer un prix, un petit prix. Il exigeait un baiser avant chaque attaque. Je consentais sans regret, car j'aimais l'odeur de son haleine chaude et sucrée à saveur de chewing-gum. Un jour, il tenta de hausser la mise. Il casserait volontiers la margoulette d'un plus grand qui m'avait fait trébucher sur le front, chute dont je gardais une cicatrice, à la condition que, couché par terre, je marche au-dessus de sa tête. Je fus au moins aussi excitée que choquée par sa proposition que je refusai sur-le-champ, l'air hypocritement dégoûté. Il me regarda, l'œil en feu, et éclata de rire. Bien sûr, il irait quand même chercher noise à mon bourreau. Cette fois-là, je le soupçonnai d'avoir frappé un peu trop violemment, car le garçonnet dut porter un pansement sur le nez durant quelques jours.

Non seulement j'apprenais que la violence des garçons ne nous était pas réservée – ils se bagarraient entre eux avec sinon plus de rage du moins autant d'assiduité – mais certaines filles nous menaçaient également. Elles étaient féroces, attaquaient par-derrière et utilisaient cailloux, bâtons et chaussures pour taper plus fort. Et elles pourfendaient plus faibles qu'elles, ce qui explique que leurs cibles masculines n'étaient constituées que de garçons plus jeunes et plus petits. C'est à cet âge plutôt tendre que je pris conscience des failles de la solidarité féminine. Il me reste sur la tête une petite bosse, souvenir impérissable d'un morceau de brique que m'avait lancé une petite voisine. J'avais en effet refusé de lui prêter ma bicyclette flambant neuve. Mais la peur des filles, aussi batailleuses furent-elles, a toujours été moins vive, moins inquiétante et moins présente que celle des garçons. Au sortir de l'enfance, je constatai que la plupart des petits mâles ne nous menaçaient plus. La majorité avait abandonné la violence comme mode de relation avec nous. Le combat des muscles cédait le pas au combat des sexes.

A l'instar de la majorité des femmes, je n'ai jamais été battue par un homme. Les rares gifles que j'ai reçues, j'en ai été l'initiatrice, ayant moi-même débuté les hostilités. Et c'était, de part et d'autre, des gifles perdues plutôt que ciblées. De plus, je n'ai jamais connu amoureusement d'hommes chez qui j'ai senti que l'envie de cogner était aussi pressante que celle de posséder. Je ne conçois guère que la violence ajoute à l'amour le piment que certains y trouvent. Dans un couple, les scènes permettent aux émotions d'atteindre au paroxysme, mais les coups n'ajoutent rien à cet exercice purificateur. Au contraire, ils relèveraient plutôt de la pathologie que de l'amour.

Pourtant, la peur de l'homme est présente en moi.

Quand je marche seule le soir dans une rue déserte, lorsque je me retrouve en tête à tête avec un inconnu dans un ascenseur ou avec un chauffeur de taxi trop silencieux en fin de soirée ou encore dans ces terrifiants stationnements souterrains, quand il m'a été impossible de les éviter. Toutes les femmes éprouvent avec plus ou moins d'intensité cette crainte vague, sournoise, paralysante et humiliante de l'agression masculine. Dans la petite enfance, nous avons peur que les garçons nous battent ; dès que nous grandissons, nous apprenons qu'avant de nous frapper ils peuvent nous violenter. Quelle femme peut se vanter d'avoir échappé à ce type d'expérience traumatisante ? Chacune peut raconter l'histoire des hommes qui ont justifié sa peur.

*
* *

Mon premier souvenir, une sorte de flash-back, remonte à mes quatre ans. J'étais en visite chez un vague grand-oncle, petit vieillard à moustache avec une bosse dans le dos. Je m'amusais dans le couloir pendant que les adultes parlaient dans la cuisine. Il vint me trouver et, en s'approchant de moi, marmonna des mots incompréhensibles tout en glissant le bras sous ma robe. La sensation de sa main sur ma culotte me fit reculer comme un ressort. Je tombai à la renverse, si bien que le bruit attira l'attention d'un adulte qui sortit précipitamment de la cuisine pour se porter à mon secours. Le vieux avait déjà amorcé le geste de me relever. « La petite a culbuté », dit-il en guise d'explication. Je passai le reste de la visite dans la cuisine, accrochée à ma tante qui comprenait mal mon attachement pour elle. Une frayeur mêlée de dégoût m'habitait désormais.

Cet épisode, en apparence insignifiant, venait de transformer mon rapport aux hommes âgés. Les vieillards n'étaient donc pas tous de gentils Pères Noël. Cet oncle mourut quelques années plus tard et je me souviens d'avoir remercié le Bon Dieu le soir de son enterrement. Les flammes de l'enfer ne seraient jamais assez intenses pour le punir et je me réjouissais de ses brûlures sans éprouver de remords, mais sans que s'efface l'imperceptible et indéfini sentiment de flétrissure qui avait envahi mon âme.

A l'époque de mon enfance, les crimes sexuels n'alimentaient pas notre vie quotidienne. Nous étions prévenus contre les maniaques, mais personne ne nous informait, comme aujourd'hui, qu'on pouvait les débusquer à l'intérieur de notre propre famille et parmi nos connaissances. Par expérience, j'avais appris cette vérité, mais je ne pouvais en glisser mot à personne, pas même à ma meilleure amie du moment. J'étais prisonnière de mon inquiétant secret. Vers l'âge de douze ans, je connaîtrai une seconde agression de même nature. Entre-temps, la méfiance guidera ma conduite envers les adultes mâles. Je ne parlerai pas aux étrangers qui s'adressaient à moi et j'éviterai les tête-à-tête, même avec mes familiers. L'éducation sexuelle implicite que je recevais à l'école à travers l'enseignement religieux alimentait considérablement ma crainte des mâles. Ces derniers étaient sous l'emprise de pulsions incontrôlables dont nous étions la cause, apprenais-je. Nous devions donc éviter de jouer les tentatrices. Je m'appliquai soigneusement à ne pas être leur objet de péché.

*
* *

L'homme qui tenta de me pervertir à douze ans faisait l'unanimité. Sa réputation était celle d'un saint homme, car il consacrait apparemment sa vie à une épouse atteinte d'une maladie chronique ; cela expliquait que celui qui aimait tant les enfants n'en ait point. Les adultes s'enthousiasmaient aussi de la patience qu'il manifestait avec les chers petits dont il s'entourait. Car cet homme, réalisateur à la radio du service public, ne s'intéressait qu'aux émissions enfantines impliquant des enfants. C'était sa spécialité. Je faisais partie du groupe de comédiens en herbe qui travaillaient sous sa direction, mais j'étais parmi les aînés. Je me rendais donc à la radio toute seule, alors que les plus petits étaient accompagnés de leur mère. Je trouvais le monsieur quelque peu étrange et un peu trop collant.

Il avait la manie de nous caresser le cou et les bras lorsqu'il nous donnait des directives sur le texte qu'il tenait d'une main pour permettre à l'autre de se balader sur nos corps. J'avais remarqué aussi qu'avec les plus petits, les filles surtout, il avait des attentions particulières. Il les faisait venir en régie sans leur maman, sous prétexte de leur faire répéter une réplique et je l'avais surpris, quelquefois, leur caressant les fesses dans un *no man's land*, à la fois par-dessus et par-dessous la robe que les fillettes portaient à l'époque très courte. J'éprouvais un malaise permanent, une sorte de flou trouble, mais quelle justification aurais-je pu donner à ma mère et à mon professeur de diction pour abandonner un engagement aussi prestigieux ? Je tenais un rôle de premier plan dans la série d'émissions, faisant ainsi l'envie de camarades qui ne demandaient pas mieux que de prendre ma place. Les attouchements, en apparence anodins mais qui me crispaient, il m'arrivait parfois de me convaincre que c'était mon imagination qui les transformait en gestes impurs. Pourtant, je demeurais sur le qui-vive dès que j'étais en présence de celui devant lequel je me sentais troublée. Certains pédophiles attirent les enfants avec des bonbons, celui-ci nous appâtait avec des émissions. Et pour les enfants comédiens, à la radio, il était inévitable, étant à lui seul le service des émissions enfantines.

Combien de fois n'ai-je pas observé des mères roucoulantes à ses côtés, qui lui poussaient leurs mignonnettes dans les bras : « Elle a beaucoup travaillé son rôle cette semaine », déclarait l'une. « Vous savez, la petite m'a dit : il faut que Monsieur D. me trouve très bonne. J'aimerais tant jouer le rôle du petit ourson dans l'émission de Noël », ajoutait l'autre. Elles ne se doutaient de rien à l'évidence. Ce n'est que plus tard, beaucoup plus tard, que je m'interrogerai sur l'aveuglement de ces femmes de milieu modeste en général, qui espéraient pour leurs petits des carrières éclatantes. Ces émissions radiophoniques pouvaient servir de tremplin vers la télévision, donc vers la gloire. Les mères, toutes à leurs rêves mythiques, voyaient cet homme comme l'instrument de ce qu'elles croyaient être le bonheur futur de leurs enfants. Ce fut, à n'en point douter, la perception de ma propre mère lorsqu'elle reçut un appel de Monsieur D.

Je la trouvai dans un état de grande excitation en rentrant de l'école un après-midi. Le réalisateur avait téléphoné pour me proposer l'animation d'une nouvelle émission pour jeunes qui débuterait au mois de septembre suivant. Il avait vanté mes mérites et assuré à ma mère qu'il organiserait les horaires avec la souplesse nécessaire, compte tenu des contraintes scolaires. Je co-animerais, à vrai dire, avec un camarade du cours de diction. J'étais d'ailleurs convoquée à la radio deux jours plus tard avec ce garçon. Ma joie était vive mais contenait une lourdeur que je balayai momentanément de mon esprit. C'était une grande nouvelle, ma mère s'était empressée de la communiquer à la famille, mon heure de gloire était arrivée.

La préparation de la série se passa sans incident, d'autant plus que je prenais la précaution, quasi inconsciente, d'arriver au bureau du réalisateur toujours en compagnie de mon copain à qui je donnais rendez-vous devant l'immeuble. Durant quelque temps, je crus que j'avais gagné la partie. Je surestimais mon astuce. Ma mère reçut un second coup de fil. Nous étions en juin et Monsieur D. lui demandait la permission de me faire travailler durant l'été. Il souhaitait, disait-il, mettre de l'ordre dans ses classeurs et ne connaissait qu'une jeune pour ranger ses papiers avec intelligence, et c'était moi. Il ajouta qu'il me paierait évidemment et que ce tête-à-tête lui permettrait également de me préparer pour l'émission qui prenait l'antenne à la rentrée. « C'est une chance pour toi, me dit ma mère. Et puis, tu vas te faire un peu d'argent de poche. » Je me taisais, incapable d'articuler un son. D'ailleurs, qu'aurais-je pu dire ? Comment mettre en mots ce qui n'était pas matérialisé, une sensation de froissement, de fêlure, éprouvée au plus intime de moi. J'avais peur de cet homme, d'autant plus peur de lui que personne autour de moi n'éprouvait cette peur. Aucun adulte ne percevait mon malaise. Je me sentais traquée.

Je me présentai à son bureau un matin. Il me donna quelques indications et je passai des heures à classer et déchirer des papiers. Lui, assis à son bureau, lisait d'autres papiers. Il s'absentait aussi durant de longs moments. Le midi, il m'emmenait déjeuner dans des cafétérias bruyantes. Je mangeais mon sandwich, ne sachant ni quoi dire ni où regarder. Il m'enveloppait dans une atmosphère gluante aux contours indéfinis. Je me sentais prisonnière, mais il n'y avait ni murs ni barreaux. Seulement un climat.

Cela dura quelque temps. La paperasse diminuait à vue d'œil et ma détresse grandissait sans aucun témoin. Ma mère me questionnait sur le travail, mais je répondais vaguement, laissant transparaître tout de même mon manque d'enthousiasme. « Fais un effort, tu t'imagines la chance que tu as ! »

Au bout de trois ou quatre semaines, il aborda le sujet. Nous étions dans une cafétéria anglaise, non loin de l'immeuble de la radio. Il me raconta qu'il avait un ami photographe professionnel qui se spécialisait dans les photos de bas, toutes sortes de bas : des bas nylon, des socquettes, des chaussettes. Lui avait remarqué mes jambes et était convaincu que son ami pourrait éventuellement me prendre comme mannequin.

J'étais engluée dans ses paroles. Il me forçait à pénétrer dans une chausse-trape. Une partie de moi le sentait, mais j'étais écrasée par son regard fuyant. Je voulais partir et, comme dans un cauchemar, mes jambes ne répondaient plus. Il ajouta qu'il désirait prendre les mesures de mes jambes afin que son ami se procure des bas à ma taille. Ai-je cru ce qu'il racontait ? J'avais douze ans, il me terrifiait sans que je sache pourquoi ; autour de moi, mes parents, mes professeurs attendaient fièrement le début de la nouvelle émission, et ma timidité pétrifiante faisait le reste. Il n'insista pas car la conversation se déroulait comme si tout allait de soi. D'ailleurs, très vite, sans attendre de réponse de ma part, il changea de sujet. Je retrouvai les papiers et repris le tête-à-tête avec lui dans son minuscule bureau. La peur que j'avais augmentait mais, étrangement, elle me soumettait davantage à sa merci.

Je subis encore quelques « séances de travail ». Les classeurs étaient quasiment vides. Un midi, nous partîmes déjeuner plus tôt que prévu. Lorsque nous arrivâmes dans le hall central, il m'entraîna distraitement vers les studios. « Viens avec moi », dit-il négligemment. Je le suivis. Nous pénétrâmes dans un premier studio qui était occupé. Il en ouvrit un autre, inoccupé. Chaque studio – ils m'étaient familiers puisque nous y faisions nos émissions – comportait une antichambre mal éclairée. C'est dans une de celles-ci qu'il se mit à genoux devant moi, sortit son mètre et glissa sa main sous ma jupe, retenant le mètre à la hauteur de ma hanche d'une main et, de l'autre, le faisant descendre le long de ma jambe jusqu'à mon pied. J'étais paralysée. De terreur, de honte, de dégoût et de trouble. Agenouillé, je l'entendais respirer, et ce bruit m'éclaboussait. Enfin, il m'ordonna d'écarter les jambes et je sentis ses doigts tremblants et le bout métallique du mètre sur mon sexe. La souillure était consommée.

Ce fut tout. Il se leva, sortit rapidement, et je le suivis. Dehors, il faisait beau, les gens marchaient dans la rue comme à l'habitude et la cafétéria nous attendait. Je mangeai mon sandwich, il me commanda une tarte aux raisins. Je bus un verre de lait, lui un thé. Il ne s'était rien passé.

Ma mère ne comprit pas mes réticences quand je lui indiquai que je ne voulais plus retourner à son bureau. « Mais l'émission, ton émission ? » Je la ferais. Je fus d'ailleurs très rapidement convoquée de nouveau par Monsieur D. en vue de la préparation de la série. Je demandai à une de mes amies de m'accompagner. Elle accepta, bien qu'elle-même, élève du cours de diction, aurait aimé être choisie pour le rôle. Jamais elle ne me questionna sur l'insistance que je mettais à ce qu'elle m'accompagne. Pendant l'année que dura ma participation, je réussis donc à éviter tout tête-à-tête avec cet homme. Livia était mon double. Elle assistait aux répétitions, aux enregistrements, aux réunions de production. J'étais sous sa protection. En fin de saison, mon contrat prit fin sans renouvellement. Je fus remplacée par une autre fillette. Autour de moi, ce fut la déception. J'étais soulagée. Je le dis à Livia, ma tendre, mon inestimable amie. Elle seule parut comprendre. Elle n'avait que douze ans, comme moi.

Il faut substituer la rage à la peur pour se sentir libérée d'une pareille expérience. Cela prend du temps, beaucoup de temps. A partir de douze ans, je n'ai jamais plus été tout à fait à l'aise avec des adultes mâles dont l'intérêt pour les enfants semblait trop vif. J'étais sur mes gardes avec les aumôniers qui dirigeaient nos consciences, les chefs scouts qui appréciaient tant nos blagues idiotes d'enfants en vacances et tous ces pères d'amies qui nous serraient dans leurs bras avec trop d'insistance.

*
*   *

Depuis, comme toutes les femmes, j'ai vécu des situations de frayeur. Au cinéma, par exemple, lorsque de pitoyables exhibitionnistes viennent s'asseoir à nos côtés, une fois le film commencé et que l'on entend soudain le bruit de la fermeture Éclair, puis ce branle-bas, au sens littéral du terme. Aussi minable et dérisoire que soit ce comportement, il suscite tout de même en nous une vague appréhension. Et aucun endroit ne semble à l'abri de pareilles aventures. Je me suis retrouvée un jour, dans une remontée mécanique d'une de ces chics stations de sports d'hiver, en compagnie d'un skieur que je pourrais reconnaître à son sexe plutôt qu'à son visage, caché à moitié par de grosses lunettes. Après quelques minutes de conversation anodine : « Beau temps, n'est-ce pas ? – Oui, et bel enneigement », j'entendis le bruit familier des salles de cinéma, un bruit métallique, rapide, efficace, plus long cependant, à cause de la combinaison. Pendant les quelque dix minutes que dura la montée vers les sommets, j'eus droit à un mouvement continu qui transformait notre chaise suspendue à des mètres du sol en balançoire. Je criai : « Ça suffit ! » Il répondit : « De quoi parlez-vous ? », car il me vouvoyait.

A l'aide de mon bâton, je pouvais mettre son membre en berne, mais je risquais alors ma peau en accentuant trop fortement le balancier de la chaise. Arrivés au sommet, tout était de nouveau dans l'ordre. Mon compagnon disparut en trombe au détour d'une piste. L'incident évoqua malgré moi une scène de déjà-vu. La même feinte que chez Monsieur D. Ici, non plus, il ne s'était rien passé. Je songeai un moment à avertir le pisteur mais, imaginant son éclat de rire, je me retins. Toute la journée je m'en voulus. Avais-je pensé à toutes les petites filles de dix ou douze ans qui risquaient de se retrouver dans la même situation que moi, entre ciel et terre, entourées de ces montagnes majestueuses, prisonnières de la grossière indécence d'un homme qui les affolerait et les troublerait ? Mais il était trop tard.

*

* *

L'âge ne nous met pas à l'abri de cette peur des hommes. Il permet simplement d'éviter certains pièges et de prévoir parfois les embuscades. Lorsque j'acceptai à la fin d'un dîner, aussi intellectuel et brillant qu'on puisse le souhaiter, l'offre empressée d'un des invités, en l'occurrence un diplomate dont l'intelligence et le raffinement m'avaient captivée toute la soirée, comment aurais-je pu, un instant, prévoir la suite ?

La conversation avait porté sur la situation au Moyen-Orient, mais rapidement nous avions dépassé la simple analyse politique pour aborder la question plus concrète, plus vivante et plus complexe de la culture. Notre diplomate, originaire de la région, manifesta une ouverture d'esprit, une liberté de pensée et une sensibilité peu communes. Sur le rôle des femmes en particulier, il se révéla plus libéral et progressiste que certains des invités français, se ralliant ainsi les convives féminines. Son charme et son sens de l'humour achevèrent son œuvre de séduction collective.

Nous prîmes congé de l'hôtesse et, dans l'ascenseur, déjà, son comportement se modifia légèrement. La cage était étroite, certes, mais il ne fit aucun effort pour créer ce minimum d'espace de politesse entre nous. Dans la voiture, dont j'avais remarqué les plaques diplomatiques, nous ne roulions pas depuis trois minutes qu'il avait déjà posé sa main sur ma cuisse. Je feignis de croire à une blague et la lui retirai sur-le-champ. Nous circulions en bordure du Bois de Boulogne. J'habitais du côté de la tour Eiffel. Il prit la route qui pénétrait dans le Bois. Je lui fis remarquer que nous déviions de l'itinéraire. Il répondit que c'est bien ce qu'il souhaitait et qu'il était convaincu que c'était aussi mon envie secrète. Je devins tendue et protestai, la voix blanche, qu'il faisait erreur, que tels n'étaient ni mon désir ni ma volonté, que sa conduite était surprenante et que j'exigeais qu'il me ramène chez moi. Nous filions à vive allure si bien que je n'avais aucune chance de m'enfuir du véhicule.

La peur s'empara de moi, j'étais assise aux côtés d'un autre homme que celui avec qui j'avais partagé le dîner ; c'était une brute que je n'aurais jamais soupçonnée une heure auparavant. Sa connaissance du Bois était évidente. Il savait où il m'emmenait. « Tu m'as excité toute la soirée et tu voudrais que je ne réagisse pas », dit-il en immobilisant l'auto au fond de ce qui me semblait être un cul-de-sac. Je protestai avec véhémence, menaçai de le dénoncer à son ambassade, mais il me fit taire par des gifles tout en me sautant dessus. Je me débattais, je criais, mais les fenêtres étaient fermées et il avait pris soin aussi de verrouiller les portières. J'avais entendu, alarmée, le déclic du mécanisme lorsqu'il avait éteint le moteur de la voiture. Tout en me débattant, je songeais qu'avec des plaques diplomatiques aucun policier ne s'approcherait de la voiture. J'étais piégée. Pire, j'avais la certitude que l'homme déchaîné qui me frappait pouvait me tuer. Par quel miracle ai-je pressenti que des mots tirés à boulets rouges réussiraient à le terrasser ? Je pratiquai ce que les Américains appellent le *name dropping*, c'est-à-dire que je déclinai les noms de tous les gens influents que je connaissais personnellement, du président de la République en passant par le Premier ministre du Canada et l'épouse de Yasser Arafat – ils ont servi à protéger ma vertu et mon intégrité, qu'ils en soient ici remerciés. J'avais visé juste. Il reprit ses esprits, puis le volant, alluma le contact et démarra. J'étais sauve, mais je ne respirais pas encore à l'aise. J'avais perçu trop de rage lorsqu'il me sautait dessus, trop de haine aussi.

Nous roulions en silence. Je me rendis compte que je tremblais comme une feuille. Lui tenta de rétablir un semblant de conversation. J'étais si effrayée à l'idée qu'il recommence que je fis l'effort douloureux de répondre. J'aperçus la tour Eiffel au loin. Je ne la lâchai plus des yeux. Lorsqu'elle fut si près qu'une petite partie seulement me fut visible, je sus que je l'avais échappé belle. Il me dit bonsoir et je sortis précipitamment sans retourner les salutations ou attendre de quelconques excuses. Une fois sur le trottoir, la voiture étant repartie, la colère vint rejoindre ma peur.

La rage haineuse de mon assaillant m'a poursuivie longtemps. Elle était si puissante, si intense, j'étais comme fascinée par elle. Et que dire du discours progressiste, généreux de cet homme sur la condition féminine ? Lorsque j'entends des hommes raconter des blagues sexistes, je ris avec eux. Car je suis portée à croire que ces derniers sont inoffensifs. L'expérience m'a appris plutôt à me méfier des hommes aux discours trop vertueux sur les femmes. L'humour n'a jamais cassé de bras, de nez ou de jambes. L'humour n'a jamais violé une femme.

Nous continuerons d'être craintives dans les rues le soir tant que les hommes ne seront pas délivrés de la haine qu'ils nous portent – à vrai dire un déguisement de leur propre peur. Heureusement pour nous, la majorité des hommes que nous côtoyons ne ressemble pas à nos agresseurs. Ils peuvent nous injurier parfois, ils sont capables de nous humilier, de nous inquiéter, de nous blesser amoureusement, toutes choses pour lesquelles nous pouvons rendre la pareille. Mais ils se refusent à exercer ce pouvoir qui leur appartient en propre, celui de la force physique.

Toutes les femmes n'ont pas besoin d'être battues ou violées pour expérimenter la peur. Elle est là, présente, salutairement présente, comme un élément de la condition féminine. Bien sûr, les femmes aimeraient pouvoir circuler la nuit sans toutes ces précautions. Combien de fois ai-je pesté contre mon destin, enfermée le soir dans une chambre d'hôtel au bout du monde, alors que la ville était là, à mes pieds, attirante, mystérieuse, exotique ? Certaines femmes, plus inconscientes ou plus audacieuses, refusent cette peur. Mais elles ne peuvent éviter les incidents qui les obligeront à plus de prudence. Nous avons toutes des histoires de peur à raconter. Nous sommes nombreuses à être incapables de dormir quand nous sommes seules à la maison. Je connais une battante qui passe ses journées à se bagarrer. Son travail consiste à prendre rapidement des décisions dont les conséquences immédiates sont toujours à haut risque ; son personnel tremble devant elle, aucun affrontement ne la fait reculer. Le soir, lorsque son mari est absent, elle s'invite à dormir chez ses amies, paniquée à l'idée de rester toute seule. Que craint-elle ? Elle ne saurait le dire. D'ailleurs, elle rit d'elle-même, mais son humour ne suffit pas à la libérer de sa frayeur.

Avoir peur des hommes n'implique pas que l'on ait peur de nos hommes. En général, dès qu'ils sont à proximité ils perdent ce pouvoir de nous faire peur. Au contraire, nous avons l'assurance de nous faire aimer ou même craindre d'eux. Une seule fois dans ma vie, je me suis sentie à l'abri, dans un état d'invulnérabilité qui me rendait quasi euphorique, et ce fut durant ma grossesse, lorsque mon ventre visible attirait le regard.

J'ai voyagé pendant tous ces mois dans des pays à risques pour les femmes seules, des pays musulmans ou sud-méditerranéens où l'égalité des sexes est toujours considérée comme un combat de lesbiennes ou de femmes frigides. Je me souviens d'une nuit à Athènes où, après une réception, j'ai déambulé agréablement jusqu'à ce que la fatigue me ramène à mon hôtel vers une heure du matin. Je croisais des hommes seuls ou en groupes, je les regardais, ils me souriaient. Aucune inquiétude ne m'habitait. Je me sentais protégée par l'enfant que je portais tout en ayant conscience du caractère éphémère de cette sécurité intérieure.

J'étais grisée par cette nouvelle liberté de mouvements et j'ai répété l'exploit à plusieurs reprises jusqu'à l'accouchement, que ce soit à Rome, à Istanboul, à Munich, à Paris et bien sûr à Montréal.

On pourrait objecter que tout est affaire de perception, que, dans les ghettos de New York ou Los Angeles, il n'y a pas d'invulnérabilité qui tienne, qu'une femme enceinte ne commande pas plus de respect qu'une autre aux yeux de ces bêtes fauves droguées qui violent et tuent par haine mais aussi par désœuvrement. C'est vrai. Certains croient que la solution à la peur est l'élimination de sa cause, c'est-à-dire la violence des agresseurs. Des groupes de femmes, en Amérique du Nord, en particulier, en font leur combat quotidien. Elles revendiquent des protections distinctes pour les femmes, plus d'éclairage de rues entre autres, comme si cette violence était affaire d'électricité. Plusieurs d'entre elles s'entêtent à revendiquer le droit des femmes de se promener seules sans être menacées.

Heureusement, toutes les femmes ne souhaitent pas se transformer en victimes potentielles. L'idéal de non-violence, aussi noble soit-il, semble relever d'un angélisme inquiétant. Le statut de victime, de brebis sacrificielle, ne convient à aucune femme. Nier la réalité, en pensant transformer en agneaux mutants par des lois et règlements ces hommes qui nous font peur, apparaît irresponsable. Des « monsieur D. », des diplomates brutaux, des skieurs désaxés, il y en a tout autour de nous, tout autour de nos filles. Notre peur, salutaire, témoigne de notre lucidité. Mais elle ne doit pas paralyser notre action, être une entrave à notre liberté. Elle doit contenir sa part de révolte. L'autre solution à la menace masculine nous la connaissons. C'est un voile, des sorties orchestrées sous escorte et le foyer comme seul univers. Or, nous savons toutes que cette solution, loin de mettre à l'abri de la violence et de l'agression masculines, accentue la victimisation et confirme l'inégalité des sexes.

Pour vaincre nos peurs de ces autres hommes, nous avons les nôtres, nos maris, nos amants, nos amis, nos frères et nos fils. Parce qu'ils nous aiment, ils refusent que nous soyons apeurées. Ils sont notre meilleur rempart contre les agresseurs.

4. Patrons : les bons, les brutes et les méchants

On se souvient éternellement de la personne qui nous a fait confiance en nous donnant une première chance au travail. J'avais vingt ans, je rêvais du métier qui est aujourd'hui le mien, il dirigeait une équipe de journalistes à la télévision mais, avant tout, c'était un intellectuel décontracté et légèrement séditieux. En prime, il était beau, drôle et décontenançant. A la reconnaissance s'ajoutait donc l'admiration. Son union avec une femme célèbre et excentrique contribuait aussi à l'aura qu'il avait à mes yeux. Grâce à lui, j'appris que le travail, aussi sérieux soit-il, devait être une partie de plaisir. C'est un des enseignements les plus précieux et les plus pénétrants que l'on puisse recevoir.

Lorsque, impressionnée, j'entrai dans son bureau où il m'avait convoquée, il déclara tout de go qu'il préférait engager des femmes plutôt que des hommes, ce qui, à l'époque, en faisait un original, voire un marginal. Les femmes, me dit-il, étaient plus compliquées mais plus intéressantes. Il était convaincu que c'était aussi mon cas, mais, ajouta-t-il, les yeux rieurs, il n'aimait que les risques et les emmerdeuses. Je voulus protester pour la forme, mais il mit fin abruptement à notre entretien. Je débutais le lundi suivant, le salaire – bien supérieur à ce que j'imaginais – n'était pas négociable. C'était tout. Merci beaucoup, à bientôt. J'étais folle de joie et folle de lui.

Je travaillais sans relâche dans un état d'exaltation qu'il contribuait à créer. Rien n'était compliqué grâce à lui, tout obstacle était, soit contournable, soit vaincu. Il circulait dans les méandres bureaucratiques comme un champion du Nintendo. Ce fut une autre des leçons qu'il m'a apprises : ne jamais se heurter de front aux structures.

Nous déjeunions habituellement en groupe dont il était non seulement l'âme mais aussi le boute-en-train. La conversation était un feu roulant de blagues, d'anecdotes croustillantes sur les puissants du moment, d'analyses politiques brillantes, percutantes et quelquefois malhonnêtes. Croyant dur comme fer à l'objectivité journalistique, à la sacralisation des idées, à la bonne foi des militants de tous bords, je vivais dans un état de choc permanent. Rétrospectivement, il me faut admettre que cet homme exceptionnel m'apportait du monde du travail et des patrons une perception déformée qui me rendra l'adaptation au « vrai » milieu de travail beaucoup plus difficile par la suite. Car jamais plus je ne retrouverai dans ma vie un patron tel que lui.

Certains matins, il venait prendre son café dans notre bureau – nous étions quatre journalistes, et j'étais la plus jeune. Il nous racontait, sans retenue aucune, sa dernière scène de ménage plus épique toujours que la précédente. Il en riait de si bon cœur que je ne pouvais douter du plaisir extrême qu'il retirait de ces combats tragi-comiques. Je n'arrivais pas non plus à faire la part de vérité et celle de l'invention dans ces histoires vécues qui faisaient apparaître ma propre vie si terne. Je découvrirai peu à peu que les scènes de ménage étaient souvent provoquées par la jalousie de sa bouillante compagne, une jalousie qui n'était pas sans raison. Son charme, sa séduction encombraient sa vie et ses journées de femmes qui quelquefois, sous le coup de la passion, surgissaient au bureau. C'était le seul moment où il fermait sa porte. Parfois, nous parvenaient des éclats de voix, mais ça n'était jamais la sienne. Nous feignions tous l'indifférence. Durant les heures qui suivaient ces esclandres, il s'agitait de gauche à droite, l'air mi-piteux, mi-amusé. Une « emmerdeuse » était venue lui demander des comptes.

Son bureau était un fouillis, mais rien n'échappait à son attention. Il improvisait, à n'en point douter, mais ses décisions semblaient toujours longuement réfléchies. Il est préférable d'être entouré et dirigé par des bluffeurs brillants et inspirés que par des raisonneurs sans imagination et sans humour. Dans un métier où les faits sont les mêmes pour tout le monde, il m'aura aussi enseigné que seul l'angle d'approche départage les talentueux de tous les autres. Nos discussions de groupe étaient parfois intempestives. Dans ces moments-là, il devenait silencieux, préoccupé même. Par tempérament, il préférait convaincre par séduction que par argument d'autorité mais, dans certaines circonstances, il n'avait pas le choix. Après coup, il invitait son contradicteur au bar pour se faire pardonner, en quelque sorte, de l'avoir rabroué publiquement. Tant qu'il ne l'avait pas convaincu du bien-fondé de sa position, il ne lâchait pas prise. Ou alors, devant les arguments de son interlocuteur, il cédait : « J'ai fait une erreur, peut-être, mais ça n'est pas la fin du monde et il n'y a ni mort ni blessé. » Car s'il pouvait être théâtral, s'il jetait sur les gens un regard de romancier, cet homme savait aussi dédramatiser les choses et les remettre en perspective.

Rares sont les patrons qui résistent à la tentation d'humilier ceux qu'ils ont soumis d'autorité à leur vision des choses. « Tu es trop sensible, tu finiras par te faire avoir, mon cher », lui répétait, badin, un de nos confrères qui était son ami intime. « Tu sais bien que je suis comme une femme », répondait-il en éclatant de rire.

Celui qui faisait métier de départager les faits des opinions était passionné, fasciné par les gens. « Il faut mettre du cœur autour des idées », aimait-il répéter. « Ma petite fille, si tu veux comprendre la politique, me confia-t-il un jour, cherche à savoir qui couche avec qui. » Sur le coup, ses propos m'avaient semblé déplacés. Je n'étais pas à l'âge de comprendre le sens réel de cette boutade, croyant encore que les idées étaient absolument sans rapport avec ceux qui les véhiculaient. J'ignorais que l'on croit aussi selon ses désirs et ses soupirs.

Son humour ironique, qui faisait flèche de tout bois, recouvrait l'immense tendresse qu'il éprouvait pour les êtres. Un jour, il avait critiqué, lors d'un de nos déjeuners en groupe, un homme politique respectable avec une telle véhémence et une telle implacabilité que j'en étais restée bouche bée. Devant ma réaction, il parut embarrassé. Mes confrères, qui pratiquaient sans remords un cynisme de bon aloi, ne semblaient aucunement outrés. Je me rendis compte que seule ma réaction retenait son attention. Il me prit à part et m'expliqua que ses paroles avaient sans doute dépassé sa pensée, qu'on pouvait attaquer les choix, les opinions et les idées de quelqu'un sans mépriser la personne. « On ne bouscule pas des héros à tous les coins de rue », ajouta-t-il dans une de ces formules imagées qui faisaient mes délices. « Cet homme se comporte comme un salaud, il trahit ses engagements passés, mais on peut tous être des salauds à un moment ou l'autre de notre vie », conclut-il en m'indiquant que l'entretien était terminé.

Il quitta la télévision. Nos chemins se croisèrent parfois. Il semblait fier de son élève, mais je n'ai jamais osé lui dire à quel point il avait compté pour moi ; je craignais son humour intimidant. Il fit carrière en politique où même ses adversaires ne résistaient pas à son charme. Puis vint la terrible maladie, le grain de sable dans le cerveau. Un après-midi, je me suis retrouvée face à lui, posant des questions, en vue d'un article pour un magazine à grand tirage. Son élocution était difficile, il ne contrôlait pas son œil gauche. Mais il voulait parler, témoigner de cette expérience douloureuse. Il voulait s'en sortir. La tumeur qui n'était jamais nommée n'aurait pas raison de lui.

Cet homme qui avait cru en moi cherchait dans mon regard la conviction qu'il n'allait pas mourir et que son esprit était intact. Je lui prouvai ma reconnaissance. Je n'eus pas pitié de lui. J'avais devant moi le beau, le séduisant, le cyniquement tendre patron de mes vingt ans.

*

* *

J'ai travaillé quelques années plus tard sous l'autorité indirecte d'un grand patron, un homme puissant, sévère, exigeant et d'une extrême rigueur intellectuelle. Nous ne le côtoyions guère, certains confrères qui ne l'avaient jamais vu prétendaient, blagueurs, qu'il n'existait pas, qu'il n'était qu'une invention de la chaîne pour que nous soyons sur nos gardes. Cet homme avait atteint la dimension du mythe.

Nous étions enveloppés de sa présence invisible, concrétisée par des notes de service signées de sa main et qui nous parvenaient épisodiquement. Il se faisait du métier l'idée la plus noble et la plus généreuse. Il croyait au rôle pédagogique de l'information télévisée et à son influence sur l'évolution de la démocratie. Il appartenait à la génération de ces pionniers qui ont construit les services publics de nos pays et dont nous avons aujourd'hui la nostalgie. Travailler sous son autorité était à la fois exaltant, valorisant et contraignant. Nombreux étaient ceux qui ne ressentaient que la contrainte. Ça n'était pas mon cas, bien que je n'aie pas échappé à l'envoûtement qu'il exerçait sur nous. Tout le monde l'appelait « Dieu le Père », ce qui convenait exactement au personnage.

J'ai appris sous sa gouverne indirecte que l'arbitraire en information peut conduire à tous les excès et, au bout du compte, éclabousser d'innocentes victimes. Car, sous des apparences rigides, cet homme était un humaniste, allergique aux injustices, à la bêtise et à l'insouciance intellectuelle. Même sa vie personnelle n'échappait pas à son mythe. Il avait porté la soutane avant d'épouser une femme de grand tempérament, drôle et imprévisible. Après lui avoir donné deux enfants, sa compagne contracta une maladie qui la condamnait à vivre percluse à plus ou moins brève échéance. Chaque midi, il s'arrachait à son travail pour aller déjeuner avec elle, car c'était évidemment un homme de devoir et de moralité.

Un jour, il me convoqua dans son bureau. Je n'étais pas sitôt assise que, sans préambule, il aborda le sujet. Je m'étais fait passer un sapin par le ministre que je venais d'interviewer, je lui avais servi de faire-valoir. Et que dire de mon vocabulaire ! Dans une question, j'avais utilisé une épithète qui faisait ressortir ma propre opinion. C'était une faute, une faute grave. « A l'avenir, ajouta-t-il, surveillez vos adjectifs et vos adverbes. » Je m'apprêtais à me lever, ébranlée par cette charge à fond de train, j'avais peine à retenir les sanglots qui montaient de ma gorge, lorsqu'il m'indiqua de rester assise. A ma surprise totale, il changea complètement de ton.

Il exprima sa satisfaction face à mon travail en général, m'assura que j'avais des progrès à accomplir, mais qu'avec persévérance et lucidité je parviendrais à mes objectifs. « Je crois en vous » furent les mots par lesquels se termina l'entretien.

Contrairement à beaucoup de confrères, je n'ai plus jamais éprouvé de crainte pour « Dieu le Père ». Ce père-là, contrairement au mien, me rassurait. Il me protégeait de cette autre image d'autorité, imprévisible, colérique, menaçante et arbitraire dans laquelle avait baigné mon enfance. C'est plus tard que se développa mon affection pour lui. Lorsqu'il sera écarté, en quelque sorte, du pouvoir, comme cela est si fréquent dans ce combat implacable que mènent les ambitieux sous couvert de rajeunissement des structures. J'allais le retrouver parfois dans un grand bureau vide où il avait trouvé refuge avant de quitter définitivement la maison. Seul, isolé, digne, infiniment digne, il ne laissait jamais échapper un mot qui donnait à penser qu'on s'était mal comporté à son endroit. Ni regrets, ni révolte, ni amertume dans ses propos. Il défendait « la maison » comme il l'appelait, il soutenait les changements dont une partie, je le savais, allait à l'encontre de ce qu'il avait établi lui-même. Je découvrais un autre homme que « Dieu le Père », un homme naïf qui semblait croire que la recherche de la vérité et de la justice guidait le comportement humain. « Vous êtes comme Rousseau, lui disais-je, vous croyez que l'homme est bon, que ses intentions sont pures. » Il souriait et tombait des nues quand je lui racontais les mesquineries, les coups bas et les lâchetés de ceux qui avaient jadis sollicité sa confiance. J'avais l'impression qu'intérieurement il ne me croyait pas. Était-ce possible de s'être trompé de la sorte sur des gens qu'il avait lui-même choisis ? C'est sans doute la question qu'il se posait.

Nous avons besoin d'hommes à aimer, mais aussi d'hommes à admirer. Il fut, pour moi, un homme admirable.

*
* *

La vie des femmes est aussi traversée par des hommes exécrables. En amour, on n'y peut rien, mais au travail c'est une autre histoire. Les femmes qui ont décidé de se battre sur le même terrain que les hommes doivent s'attendre à jouer des coudes et des poings et à recevoir des coups, hauts et bas. Sinon, qu'elles restent à la maison !

J'ai travaillé avec des hommes de cœur, des velléitaires, des inquiets, des lâches, des faibles, des indécis, des enthousiastes et des généreux ; il suffit de s'adapter. Mais il est un type d'hommes devant lequel toute femme semble impuissante : ce sont les vulgaires et les grossiers.

J'arrivais le matin au bureau et déjà je l'entendais jurer. Ombrageux, il avait atterri dans le métier par hasard, et sa pensée était au moins aussi fuyante que son regard. Pour l'éclaircir, il déjeunait aux dry Martini et revenait l'après-midi ragaillardi, des idées géniales plein la tête. Une journée, c'était une entrevue à faire avec le pape, le lendemain avec le président des États-Unis ou la reine d'Angleterre qui est aussi notre souveraine. Une convocation dans son bureau équivalait à une séance de sauna. Sa crispation, sa nervosité qu'il compensait par un ton aussi autoritaire que brutal, provoquaient une transpiration de tout son corps ; son front ruisselait, sa chemise se tachait et ses mains moites laissaient leurs empreintes sur le bureau. L'expérience était insupportable.

Son absence de pratique professionnelle le mettait à notre merci, et il le savait. Il s'enfonçait donc dans des décisions absurdes où il gaspillait temps, argent et énergie. Il est facile pour des journalistes de saboter une idée de reportage ; ils ne trouvent pas d'invités pour témoigner et le tour est joué. Personne ne se privait de se jouer de lui. Il faisait l'unanimité certes, mais tous ne réagissaient pas de la même façon. Avec d'autres, je souhaitais son départ, mais quelques-uns, plus futés ou plus démagogues, décidèrent d'utiliser sa bêtise et son insécurité. Il devient facile ainsi de trouver des vertus à ceux qui peuvent nous servir.

La plupart des femmes tentaient d'éviter les contacts directs avec lui. Car son manque d'idées et de vocabulaire, son incapacité à réfuter les arguments augmentaient son agressivité verbale. L'insulte devenait son arme privilégiée. J'étais décontenancée devant lui. Il me faisait peur, à la manière dont me font peur tous les hommes grossiers. Sans voix, je craignais ses mots, crus, menaçants, qui me ramenaient si loin dans mon enfance. Très vite, je fus même incapable de poser mon regard sur lui tant mon malaise était grand. J'étais de nouveau prisonnière d'un climat. Et il se passait aussi un phénomène étrange : sa propre grossièreté semblait faire remonter à la surface celle contenue de quelques confrères. Je travaillais dans l'outrage et l'offense. Je me liquéfiais.

Après quelques semaines, je me rendis compte que non seulement mon caractère se modifiait – j'étais irascible, susceptible et d'une émotivité exagérée –, mais mon propre vocabulaire était parasité par l'ambiance dans laquelle je vivais. Les insultes et les jurons, bien inoffensifs tout de même en comparaison de ceux de mes compagnons, franchissaient ma bouche de plus en plus souvent. Je me sentais parfois dédoublée, spectatrice impuissante de mes fulminations déplacées. J'étais protagoniste d'un combat que je ne souhaitais pas livrer compte tenu de mon refus de descendre sur le terrain de mes adversaires. Quelle femme souhaite vaincre en écrasant le respect qu'elle a d'elle-même et en violentant sa sensibilité ? L'invective vulgaire éclaboussant avant tout celui qui en use, je me sentais menacée dans mon intégrité. Ces règles du jeu m'étaient étrangères. Je découvrais de plus, avec effarement, que la haine est une émotion facile, attirante et totalitaire. Mais l'éprouver m'humiliait au moins autant qu'elle me défoulait.

Un jour que je roulais en voiture, je l'aperçus à une cinquantaine de mètres devant moi qui traversait l'avenue. Dans un éclair de seconde, horrible, je sentis mon pied s'appesantir sur la pédale d'accélération. L'instant d'après, je l'avais retiré. J'éclatai en sanglots. Déraisonner de la sorte me terrifia. Il m'était arrivé avec d'autres de lui jeter des sorts au cours de conversations agressivement joyeuses qui servaient à notre défoulement. « Qu'il s'écrase, saoul, dans un banc de neige et qu'il congèle dedans pendant la nuit », lançait un facétieux pour notre plus grand plaisir ; alors que les filles lui souhaitaient des tortures plus spécifiques que n'aurait pas désavouées le marquis de Sade. Ces propos délirants et apparemment inoffensifs avaient donc fini par me contaminer. Comme toutes les femmes, j'avais rêvé au cours d'une histoire amoureuse la disparition de la rivale. Ici, j'avais franchi une barrière interdite et je prenais conscience que la menace pesait avant tout sur moi.

Après quelques semaines, il disparut. Maladie diplomatique, dépression, mise à l'écart déguisée, je n'ai jamais cherché à savoir. Mais le mal était fait. Il avait donné le ton des rapports entre nous, le feu vert à tous ces hommes inquiets qui vivent la compétition avec les femmes comme une menace. Les jurons continuaient de fuser, les coups fourrés composaient mon quotidien. Ne pouvant jouer des couilles, je me retirai sous les applaudissements et les rires gras des vainqueurs. J'avais échoué, croyait-on, j'avais perdu la bataille. On m'avait bien eue. *Exit.*

« Vous avez l'air fatiguée à l'antenne », me disait-on lorsqu'on me croisait dans la rue. Je me reposai, convaincue que certains combats doivent être perdus. J'avais du métier l'idée la plus noble et des hommes l'estime la plus vive. Je n'allais pas tomber dans le piège de la généralisation.

*

* *

Victor débarqua, pour ainsi dire, dans ma vie professionnelle. Je n'avais pas choisi mon patron et lui non plus ne m'avait pas choisie. D'une certaine manière, cela était préférable, car lorsqu'ils nous choisissent avec un peu trop d'insistance, on peut être amené à faire du travail supplémentaire en dehors des heures de bureau et du bureau, ce qui complique infiniment les choses. Celui-là n'avait pas ces pensées en tête, du moins pas consciemment. Assez intelligent pour comprendre qu'il valait mieux se taire sur le bien-fondé de la présence des femmes au travail, son attitude démontrait qu'il trouvait incongrues ces femmes qui avaient l'air de savoir ce qu'il ignorait lui-même. A tout moment, il me convoquait dans son bureau et durant des heures m'expliquait le journalisme – dont il ignorait les règles –, la politique – pour laquelle il n'éprouvait que mépris et dont il n'avait qu'une perception stéréotypée. Mais, surtout, il souhaitait, et je devais lui en être éternellement reconnaissante, « améliorer ma performance à l'antenne ». Puisqu'il ne pouvait me congédier – les administratifs passent souvent et les journalistes demeurent –, il allait m'aider à « transformer radicalement mon image ». J'étais trop forte, le public avait peur de moi ; d'ailleurs, il avait noté qu'en marchant je faisais trop de bruit avec mes talons. Ma coiffure gagnerait à être moins... moins... « enfin, vous voyez ce que je veux dire », mais, surtout, il me fallait perdre ce trop-plein d'assurance qui se dégageait de ma personne. Tout cela pour mon bien, pour que ma « carrière prenne un nouvel envol ».

Au début, j'agis avec diplomatie, me répétant qu'il n'était pas seul à se comporter de la sorte, que toutes les femmes au travail rencontraient ce prototype de bêtise masculine, que ce V. était une victime de sa propre éducation et qu'au bout du compte il faisait pitié. Or, il arrive que la diplomatie ne mène nulle part. De bête qu'il était au début, il devint méchant, et je vécus une descente aux enfers. Chaque suggestion de sujets d'émission faisait l'objet d'un affrontement frontal, chaque décision lui revenait de droit divin et il nous la communiquait à la dernière minute, ce qui transformait en stress inutile notre travail à tous. Les collaboratrices étaient soumises à de telles pressions de sa part qu'elles s'interdisaient de s'adresser directement à moi. Bref, j'en arrivais à envier la femme au foyer.

J'appris plus tard que Victor se faisait plus ambigu avec le personnel féminin subalterne estimant sans doute que le seul véritable avantage des femmes au travail était de les avoir littéralement sous la main. Il disparut de mon champ de vision grâce à la mobilité sociale ascendante.

Quelques années plus tard, il prit une retraite anticipée sans savoir à quel point nous l'avions nous-mêmes anticipée. Insécurisé par l'accession des femmes au pouvoir et au savoir, incapable de s'adapter à cette modernité galopante, monsieur Victor se servait de l'autorité au nom de sa mâlitude. Un jour, après une discussion inutile, je l'obligeai à réfuter mon argument : « Qu'avez-vous à répondre ? » Paralysé, décontenancé, il me regarda et je devinai l'effort surhumain qu'il faisait pour ne pas me frapper. Faute de mots, les hommes ne sont jamais très loin de leurs poings.

*

* *

J'avais le trac, ce qui m'arrive rarement. J'eûs fait preuve de légèreté si je n'avais senti ce petit pincement fébrile au creux de l'estomac car j'attendais un des hommes que j'admirais le plus, dont j'avais lu tous les livres, qui était également journaliste mais qui occupait surtout l'avant-scène de la vie intellectuelle européenne. Son rayonnement d'ailleurs s'étendra rapidement dans toutes les capitales du monde. Je l'interviewais pour la radio canadienne. L'entrevue ne pouvait être que passionnante et polémique, le rêve de tout journaliste. Dès le premier contact, je découvris avec plaisir que, contrairement à d'autres hommes de sa qualité, il n'était ni formaliste, ni pédant, ni distrait. Son physique était imposant. Il n'était pas beau, mais cela n'avait aucune importance puisque son intelligence lui tenait lieu de beauté. Il devint mon mentor.

Sous sa gouverne, je publiai mon premier ouvrage. Il me traitait avec les égards qu'on accorde aux écrivains importants. J'étais flattée, bien sûr, mais avant tout il m'apprenait beaucoup car il était généreux de ses idées, et sa patience semblait à toute épreuve. C'est lui qui m'a enseigné la rigueur dans l'écriture, qui m'a mise en garde contre les affirmations intempestives sans preuve, qui m'a appris, lorsqu'on défend une thèse polémique, de ne pas introduire dans le raisonnement une polémique secondaire pouvant hérisser le lecteur favorable à nos idées.

Je n'ai jamais senti que je n'étais pas son égale, ce qui prouve bien sa délicatesse et son raffinement. « Que penses-tu de la politique française ? » demandait-il en ayant l'air d'attendre que je lui apprenne des choses alors qu'il savait déjà tout. Nous déjeunions, parfois seuls, parfois en compagnie d'amis à lui. De nos tête-à-tête, je sortais étourdie. A cause de la qualité de la conversation bien sûr, mais aussi parce qu'il m'entraînait dans des aventures gastronomiques. Il parlait de cuisine, de vins, avec autant d'intelligence, de science et de passion qu'il parlait politique ou philosophie. J'étais éblouie. Mais il était d'une pudeur extrême sur lui-même. J'ai tout connu de ses idées, mais je n'ai jamais rien su de lui. Sauf ce que d'autres m'en ont dit. A-t-il jamais perçu à quel point il me charmait ? Derrière son allure bourrue, même lorsque l'alcool parfois faisait effet sur lui en libérant des cascades de rires qu'il interrompait brusquement, j'avais l'impression que cet homme était triste.

C'était indicible mais quelquefois, après un de nos déjeuners bien arrosés, j'étais enveloppée de tristesse à mon tour, émue par lui. Mais jamais je n'aurais osé lui avouer mon trouble. Car cet homme réussissait, par protection sans doute, à mettre un sas entre lui et les autres, une sorte de zone de décompression des émotions qui nous obligeait à retenir les sentiments qu'il provoquait en nous.

Un jour, par solidarité, il s'est écarté du pouvoir qu'il exerçait dans la presse avec tant de force, d'impact et d'élégance intellectuelle. Si j'en fus peinée pour lui, j'estimai que c'était avant tout une grande perte pour le monde de la presse, les hommes de talent étant toujours irremplaçables. Dans les années qui suivirent, il s'est peu à peu retiré, philosophe solitaire au-dessus de la mêlée. Ses amis se plaignaient de ne plus le voir. Il n'était plus disponible pour moi non plus. Je continuai cependant de lui faire signe de loin en loin. A-t-il souffert de cette mise à l'index de ceux qu'on appelait « la gauche » alors que, dénonçant avec sa véhémence talentueuse la barbarie de la pensée, c'était avant tout un homme idéologiquement indomptable, étranger à toutes les coteries et les flatteries. L'Histoire récente lui a donné raison, mais ce n'est pas lui qui claironnerait sa victoire.

Cet homme, qui ne fut ni un père de substitution, ni un amant, ni un confident, demeure un de ceux, rares, qui ont exercé une influence sur moi. Si la qualité de notre discours est fonction de la qualité de celui de l'interlocuteur, il m'aura permis de m'illusionner parfois lorsque j'étais en sa présence. Surtout, il a ancré, encore plus profondément en moi, la conviction qu'aucun progrès humain n'existe sans un espace de liberté. Mon admiration pour lui repose sur cette leçon qu'il m'a transmise et sur la gratuité de l'amitié qu'il m'a témoignée. Car, à son insu, il a conforté aussi ma confiance dans les hommes.

*

* *

Je n'arrive pas à me souvenir de ma première rencontre avec cet autre homme admirable qui fut le prince du journalisme français. Lui aussi m'a influencée, inspirée et impressionnée. Un jour que nous dînions en tête à tête, j'ai compris que l'affection que je lui portais et qu'il acceptait volontiers reposait aussi sur le fait qu'il avait la figure de mon propre père. Mais je n'osai pas le lui dire de peur de le blesser. J'imaginais que mon père, sans la rage angoissante qui l'habitait et avec une éducation plus raffinée, aurait pu lui ressembler. Il était très beau, très délicat aussi et d'une douceur souriante. J'ai eu le sentiment très tôt que je l'amusais. Car si on le traitait avec tous les égards dus à sa célébrité et à son prestige, je crois qu'il eût préféré qu'on l'aborde avec plus de simplicité. Il aima aussi ma façon passionnée, naïve et agacée d'aimer la France. Il l'aimait lui-même si totalement, si profondément, qu'il devina chez elle ce qui avait échappé à tous, à savoir qu'elle s'ennuyait au printemps 1968. C'est donc autour d'elle et de ceux qui la gouvernaient et la critiquaient à l'époque que portaient nos conversations. Le patron de mes vingt ans m'avait déjà enseigné à distinguer les personnes de leurs idées, ce nouveau maître m'apprit que les idées plongent aussi leurs racines dans l'histoire personnelle et le passé familial des gens. « Mais son grand-père fut membre du gouvernement de Vichy », disait-il pour expliquer la complaisance de tel journaliste à l'endroit de l'Union soviétique. « Vous êtes catholique, vous savez ce que c'est que la Rédemption », ajoutait-il avec ce sourire auquel personne, et surtout pas les femmes, ne pouvait résister. Il possédait de ces anecdotes explicatives sur un nombre si grand de gens que je lui en fis un jour la remarque. « Il n'y a pas de journalisme sans mémoire » fut sa réponse. A l'heure du journalisme instantané et en direct, ce rappel n'est pas inutile. En sa compagnie, rien n'était obscur puisqu'il éclairait les êtres et les situations de son intelligence lumineuse. Il se disait touché par notre bataille collective menée dans l'isolement nord-américain, et je devinais que l'affection dont il m'entourait s'étendait aussi au Québec tout entier. A mes yeux, il incarnait lui-même une certaine idée que je me faisais de la France.

Sa vie privée m'était inconnue et il n'y faisait jamais référence, sauf quand il précisait : « J'étais avec ma femme. » Je pouvais être sa fille mais, s'il avait des attentions paternelles à mon endroit, il n'aurait jamais été paternaliste. Car lui aussi me traitait en égale, ce qui est le trait commun de tous les vrais princes de l'esprit. Il m'apporta un appui concret dans mon travail, acceptant d'être membre de mon jury de thèse. Alors qu'il avait un horaire surchargé, jamais je n'ai eu l'impression en sa présence que son temps était compté, jamais non plus il ne laissa deviner la moindre préoccupation, le moindre souci. Lorsque parut l'essai critique que j'avais signé sur la télévision, sans me prévenir il consacra sa chronique hebdomadaire à l'analyser. Un des bonheurs les plus intenses de ma vie me fut donné lorsque, ayant quitté Lausanne en bateau les journaux sous le bras, je découvris au milieu du lac Léman la critique de mon ami. En abordant Évian, je lui téléphonai pour le remercier. Il était absent. Lorsque, enfin, je le rejoignis le lendemain, il s'amusa de mon enjouement : « Vous n'avez pas à me remercier, votre joie me suffit », dit-il en riant.

Alors que le Paris intellectuel est sans doute la capitale mondiale de la méchanceté ironique, de la mesquinerie et de l'imposture talentueuse, autour de son nom, on semblait, de gauche à droite, faire la trêve. Comme une idiote, je me sentais fière chaque fois qu'on faisait son éloge. Je ne pouvais tout de même pas lui avouer que je l'aimais filialement et que je découvrais grâce à lui qu'un homme pouvait avoir pour une femme des égards exquis sans rien souhaiter d'autre en retour que son sourire. Je me permettais d'être sentimentale uniquement quand nous parlions de la France et de la culture que nous partagions. « Vous connaissez vos ancêtres ? » demandait-il. « Bien sûr, répondais-je, ils s'appellent

Montesquieu, Flaubert et George Sand. » Il s'amusait et, ravi de la réponse, il en redemandait.

Il a choisi de mourir à l'abri de tous les regards et de tous les regrets. On le disait très malade, mais aucun lecteur de ses chroniques aurait pu imaginer en lisant sa réflexion hebdomadaire sur la France qui s'agitait désormais à distance de lui que l'homme se savait condamné et qu'il souffrait. De nos jours, les femmes exigent des hommes qu'ils se réapproprient leurs émotions et qu'ils les expriment au grand jour, c'est oublier qu'un autre idéal masculin s'incarne à travers ces hommes chevaleresques qui se retirent du monde sur la pointe des pieds afin que l'on conserve d'eux l'image intacte de leur grandeur.

Ma vie professionnelle s'est toujours déroulée entourée de quelques femmes et d'une majorité d'hommes. Plusieurs ont eu et continuent à avoir du mal à travailler avec des femmes, surtout si elles sont leurs égales ou leurs supérieures hiérarchiques. J'ai croisé des hommes stupides avec qui il fallait feindre d'être sous leur charme pour mieux neutraliser leur bêtise. J'ai rencontré des hommes séduisants et j'ai succombé à leurs charmes, sans feinte aucune, car le travail étant un révélateur des êtres, l'admiration et le respect s'y développent. J'ai côtoyé des machos déguisés, infiniment plus sournois que les vrais, parce que, blessés dans leur amour-propre, ils rongent leur frein en préparant leur prochain coup fourré. J'ai été mise en présence d'hommes-enfants qui font appel à notre instinct maternel dès qu'ils se sentent menacés dans leur petit pouvoir. « Vous me faites peur », m'a déclaré un jour un invité, bel homme par ailleurs, avant une entrevue. « Vous verrez, maman sera gentille », ai-je répliqué le trouvant déjà moins beau. J'ai travaillé avec des hommes hostiles à ma présence et qui ne s'en cachaient pas et des hommes généreux, respectueux et agréablement mâles. Et je suis reconnaissante à beaucoup d'entre eux, d'autant que la reconnaissance n'est pas seulement un sentiment qu'on éprouve mais aussi qu'on aime éprouver.

5. Les hommes indélébiles

J'avais l'âge où l'on croit à l'amour compliqué et douloureux. Son regard perçant et fiévreux se posait sur les gens comme s'il n'allait plus se retirer. Il dominait l'assemblée de sa taille immense, même s'il se tenait à l'écart de tous les groupes qui discutaient fébrilement. Je ne l'avais jamais vu auparavant. J'eus l'imprudence de chercher son regard. Il m'y enferma.

L'époque était celle du romantisme politique. Nous sortions à peine de l'adolescence et, au salut de nos âmes face auquel nous étions devenus sceptiques, nous préférions le salut de notre peuple, isolé en Amérique du Nord et opprimé dans sa langue et sa culture. Nous adhérions à un mouvement marginal, certes, mais qui ferait l'Histoire. Nous étions les zélotes non violents d'une cause noble et juste et nous allions donner tort à Nizan. Vingt ans serait pour nous le plus bel âge puisque nous rachèterions l'humiliation subie par nos ancêtres.

L'assemblée débuta, et chacun se présenta à tour

de rôle. Mon nouveau compagnon de lutte était l'envoyé d'une région lointaine, baignant dans le golfe Saint-Laurent. Il venait de si loin que je me sentis encore plus près de lui. Sa voix envoûtante et grave imposait l'attention et sa langue pure, sans accent aucun, augmentait le mystère. D'où était-il alors et qu'est-ce qui justifiait sa présence dans le Bas du fleuve ? Mais nous communions à la même foi, c'était l'essentiel. Je participai à la discussion plus qu'à mon habitude. Mes interventions nombreuses manquaient souvent de mesure mais non de ferveur et, cet après-midi-là, j'y ajoutai une émotion inattendue qui fit sourire l'entourage. Lui ne bronchait pas, les yeux posés sur moi.

Je n'avais aucun sens de l'humour. Je représentais les étudiants et nous n'étions pas loin de nous considérer comme les premiers redresseurs de torts de notre histoire contemporaine.

La légèreté et l'insouciance joyeuse nous choquaient et nous aurions pu reprendre à notre compte les paroles évangéliques du Christ au sujet des tièdes : « Les légers et les insouciants, nous les vomirions. » C'est dire que nous n'étions pas très rock and roll même si l'on appartenait à la génération d'Elvis. L'étrange étranger militant du bord du fleuve Saint-Laurent était de la trempe des membres de notre fratrie, un pur et dur à n'en point douter.

La réunion s'étalant sur deux jours, je misais sur la soirée où habituellement les délégués se retrouvaient au restaurant pour mettre l'émotion qui m'envahissait peu à peu à l'épreuve. Mon fascinant camarade disparut dans le brouhaha qui suivit la fin de la séance de travail. Je ne savais rien de lui et déjà son absence m'atteignait. Je passai une soirée misérable au milieu de ces gens enflammés, à me demander où il pouvait bien être puisque personne ne savait à quel hôtel il était descendu. J'espérais secrètement qu'il nous retrouverait au restaurant et je n'eus de cesse de surveiller la porte dans l'espoir d'apercevoir sa haute silhouette. En vain.

Le cœur serré, je retraversai la ville, du fleuve à la rivière des Prairies, seule passagère du dernier autobus vers le nord. L'amour, me disais-je, était exactement ce serrement au cœur que je ressentais, cette perte d'appétit que j'avais constatée durant le dîner et l'endolorissement de mon corps provoqué par la tension. J'étais amoureuse.

Je dormis mal, dans un demi-sommeil où filtrait l'inquiétude. Il était reparti, je m'en convainquais. Je resterais donc seule avec ce trouble qu'il avait semé en moi. Je lui écrirais. Inutilement. J'obtiendrais, par notre mouvement, son numéro de téléphone. Non pour l'appeler, c'était impensable, mais pour le garder dans mon portefeuille à défaut de photo. Mon destin était d'aimer dans le déchirement. J'entretenais cette émotion qui faisait remonter toutes les autres à la surface. Ainsi, je pouvais pleurer sur mon sort, mon triste sort passé et à venir.

Le lendemain, j'arrivai en avance à la réunion, désirant prolonger l'attente qui me consumait mais qui me donnait en même temps la conscience aiguë de vivre. Je cultivais cette violence intérieure qui m'isolait de tous et me plongeait dans l'illusion que j'étais unique. J'avais trop lu sainte Thérèse d'Avila. Je l'aperçus enfin qui entrait au fond de la salle et je m'accrochai à la conversation emportée qui se déroulait derrière moi. Il ne vint pas vers nous et la séance débuta, chacun reprenant sa place de la veille, comme si elle avait été réservée. Je n'osais le regarder, mais ce fut plus fort que moi. Ses yeux me fixaient, peut-être depuis de longues minutes. Je soutins son regard et il baissa les paupières deux fois comme une caresse. Contrairement à mon habitude, j'approuvai, sans discuter, toutes les propositions, n'espérant plus que la levée de l'assemblée.

Difficile de marcher avec élégance aux côtés de quelqu'un qui mesure un tiers de plus que sa propre taille. Plus difficile encore de converser quand l'émotion occupe tout l'espace de la parole et que les gestes seraient prématurés. Nous avons donc passé les quatre heures d'attente précédant le départ de son train à nous dévorer des yeux dans un bar obscur et douteux d'un hôtel à petit budget. Il sirotait des whiskies noyés d'eau alors que, pour ne pas détonner, je commandais des gin-tonic qui me faisaient lever le cœur. Je craignais, si je refusais de boire, qu'il interprète mon refus comme une volonté de quitter les lieux.

Or, il fallait fixer ce moment d'éternité, là, dans cette salle enfumée où quelques couples, agonisant d'ennui, s'engourdissaient avec des rhums and coke et des ryes Seven-up. J'avais la tête qui tournait car je jeûnais depuis la veille. Je m'efforçais donc d'avaler des cacahuètes mais j'éprouvais de la difficulté à déglutir. Lui vidait les plats et redemandait au garçon de les remplir aussitôt. L'expérience nous apprend très tôt que les hommes amoureux perdent parfois la tête mais rarement l'appétit.

Il me quitta en déposant un chaste baiser sur mes lèvres qui en espéraient davantage et murmura à mon oreille : « Au revoir, ma mie », comme les héros aristocrates dans les romans français. Je lévitais. Une fois dans la rue, je redescendis sur terre. Je l'aimais, il m'aimerait, mais il y avait huit heures de train entre nous. Allais-je survivre ?

Le facteur devint le seul homme qui m'intéressait à Montréal. Je séchais les cours du matin pour l'attendre. Ce fut une dure semaine, quoique mon expectative remplissait mes journées. Après la déception de la matinée lorsque le postier avait continué sa route au-delà de notre maison, ou qu'il avait déposé dans la boîte aux lettres sur laquelle je me précipitais les inutilités habituelles, je vivais quelques heures de déception intense mêlée d'inquiétude. L'après-midi, je repassais dans ma tête la scène du bar, en stoppant la mémoire sur les moments clés : un regard plus appuyé, sa main sur la mienne. Je réentendais sa voix, me concentrant sur sa profondeur, ses modulations, jusqu'au momentum du murmure « Au revoir, ma mie ». Je modifiais la scène selon mes fantaisies. Parfois, j'oubliais le murmure et j'ajoutais l'effleurement des lèvres. A d'autres moments, je le faisais pénétrer dans la salle de réunion, le matin suivant sa disparition. J'étais la monteuse de mon propre film, un film d'amour dont j'ignorais la fin et ne connaissais que ma partie de scénario.

La fin du jour, cette période entre chien et loup, me replongeait dans la mélancolie et le doute. L'obscurité me délivrait de mes craintes et je terminais la journée, non plus dans nos minces souvenirs mais dans mes propres fantasmes, dans ses bras, languissante et douloureusement abandonnée. Je n'allais pas au-delà puisque j'étais encore pure et farouche.

La première lettre que je reçus constitua ma seule lecture durant quarante-huit heures. Pas un adverbe, pas une conjonction, pas une virgule n'échappa à mon interprétation. Il parlait peu de lui, beaucoup de philosophie abstraite, « l'élan vital » de Bergson semblait l'impressionner ; il était aussi question de notre idéal commun et des lacunes de notre peuple et enfin une ou deux phrases concernaient notre rencontre « miraculeuse ». Je m'accrochai à l'adjectif, je me berçai de lui, j'échafaudai notre avenir commun autour de lui. Je lui répondis par une lettre sans retenue, lyrique sans doute jusqu'au ridicule, ayant, entre autres, recopié la définition du mot « miracle » dans trois ou quatre dictionnaires. Je soutins « l'élan vital » par « l'être et le non-être » de Sartre pour lequel, par ailleurs, je n'avais aucune attirance, le trouvant déprimant, et je gardai en réserve *Crainte et Tremblement* de Kierkegaard pour une prochaine missive.

Je vivais un amour sans contrainte nourri des lettres intenses où nous mettions en lumière le paradoxe de l'hiver, particulièrement rigoureux cette année-là, et la calcination de nos émotions réciproques. Puis il annonça sa venue à Montréal.

Je me rendis à la gare plusieurs heures à l'avance, un livre à la main. J'ai relu la même page durant toute l'attente. Enfin, il apparut. Plus grand que dans mon souvenir, plus pâle aussi et l'air plus tourmenté. Nous tremblions de peur tout autant que d'amour. Et il y avait cette gêne entre nous comme si la présence physique parasitait nos sentiments. Instinctivement, nous nous dirigeâmes vers le bar familier de l'hôtel déclassé, incapables d'envisager un lieu nouveau qui nous aurait distrait de nous-mêmes. Même l'effort de converser semblait au-dessus de nos forces, emprisonnés que nous étions l'un et l'autre par la douleur d'aimer. Le passage brusque du froid démesuré à la chaleur du bar ajouta à la lourdeur qui s'installait en moi. J'eus une envie irrépressible de dormir. Il était là et j'étais incapable de lutter contre l'engourdissement. J'eus le courage de le lui dire, honteuse et humiliée. Il me prit la tête entre ses mains et des larmes coulèrent de ses yeux. « Dors ma mie, dors. » Me coulant dans le creux de son épaule, je lui obéis. Dans le bar où les éclats de voix et de verres me parvenaient, filtrés par la fatigue, je dormis pour la première fois de ma vie dans les bras d'un homme.

Quand je m'éveillai, il achevait son deuxième whisky. Il m'apprit alors que nous avions deux jours mais seulement une soirée à partager puisqu'il dînait le lendemain soir chez le vague parent qui l'hébergeait. Plutôt que de me réjouir de toutes ces heures qui nous appartenaient, je me sentis trahie. Comment pouvait-il envisager de se séparer de moi alors qu'il était dans ma ville ? Je l'aimais donc plus qu'il ne m'aimait. C'était clair comme de l'eau de roche. Surtout, j'étais ébranlée par la fragilité de nos rapports ; nos lettres n'avaient donc pas consolidé notre amour. Je souhaitais tout savoir de sa vie. « Raconte-moi quand tu avais six ans. » Je l'interrompais sur un détail, j'exigeais des précisions. J'étais attentive à son discours mais il m'arrivait aussi de n'écouter que ses yeux. Troublé, il s'arrêtait net. Alors, nous échangions des baisers. Des baisers de plus en plus longs, de plus en plus insistants, de plus en plus frustrants.

Nous nous regardions, affolés par le désir, plus affolés encore parce qu'incapables de l'assouvir. « Arrêtons », disait-il parfois une plainte dans la voix. « Je n'en peux plus », renchérissais-je quelques minutes plus tard en le repoussant doucement. Et nous recommencions l'alternance du récit et des baisers car nous savions que le bar était notre vraie protection contre des gestes prématurés.

Vers minuit, nous nous arrachâmes l'un de l'autre

après avoir mangé dans un steak-house réputé pour sa clientèle mafieuse et où je n'avais jamais osé mettre les pieds auparavant. Il nous semblait que ces lieux malfamés, étrangers à ce que nous étions, se prêtaient davantage à l'éclosion de notre amour. Nous nous y sentions camouflés, à l'abri. Durant cette première rencontre, j'étais passée de l'attente à l'exaltation, de l'exaltation à la déception, de la déception à l'espoir, de l'espoir à la conviction et de la conviction au désir. Cette nuit-là, je revécus les événements de la veille, remettant en action la mémoire, ressuscitant les baisers un à un, y mettant un terme momentané quand l'excitation s'emparait trop violemment de mon corps, me calmant par le récit de son enfance de six à huit ans, l'âge auquel il était parvenu vers minuit. Nous nous étions fixé rendez-vous le lendemain à neuf heures à la porte d'un grand magasin du centre-ville, les bars étant fermés à cette heure matinale. J'avais bien l'intention, dans les trente-six heures qui nous restaient à passer ensemble, de connaître son histoire personnelle jusqu'au jour et à l'heure de notre premier échange visuel. J'apprendrais ainsi si quelqu'un l'avait aimé autant que moi. J'en doutais, mais j'avais besoin d'en être assurée. Je m'assoupis à l'aube et m'éveillai aussitôt. Je me refusais de dormir car l'idée de ne pas avoir conscience de sa présence physique dans la même ville que moi m'était intolérable. Je dormirais lorsqu'il repartirait dans son pays de froidure humide, balayé par les vents du golfe où le fleuve majestueux était déjà la mer.

Les premières minutes de nos retrouvailles furent difficiles, le début des amours se vivant plus facilement dans l'obscurité qu'à la lumière du jour. Nous circulions à travers les allées des rayons à la recherche de nous-mêmes. Je voulus lui acheter une cravate devant laquelle il s'était arrêté, mais il protesta. J'insistai si fortement qu'il dut céder. Mais j'avais omis de regarder le prix. Je flambai mon maigre revenu hebdomadaire d'étudiante boursière. Il était mal à l'aise mais je n'en tins aucunement compte. Aimer c'était donner. « J'aurais d'abord voulu t'offrir un présent », dit-il en me serrant contre lui. « Je suis rapide », eus-je la bêtise d'ajouter. « Trop, peut-être, pour moi », répondit-il. Peut-être ? Pourquoi employait-il le mot « peut-être », lui qui, travaillant à la radio, connaissait le sens des mots ? Que voulait-il insinuer par « peut-être » ? Cachait-il quelque chose ? Avait-il réfléchi au cours de la nuit ? Allait-il m'annoncer dans quelques minutes que c'en était fini avec moi ? Et en y pensant bien, l'hésitation qu'il avait exprimée au moment de l'achat de la cravate n'avait-elle pas un rapport avec ce « peut-être » ? Nous marchions côte à côte, son bras sur mon épaule, mais ma vue s'embrouillait. Devant mes sanglots audibles, il parut déconcerté. « Mais qu'y a-t-il encore, ma mie ? » demanda-t-il d'un ton où je crus déceler une légère irritation. « Rien, rien », répondis-je en souhaitant de toutes mes forces qu'il me presse à nouveau de questions. « Allons, je t'emmène au restaurant et tu vas m'expliquer. On ne peut pas continuer comme ça », laissa-t-il tomber, me plongeant dans une panique complète.

Attablés devant des œufs au bacon, lui les dévorant, moi y versant toutes les larmes de mon corps, nous échangions des notions de sémantique. « Peut-être » n'avait pas le sens absolu que j'y mettais, disait-il ; mais il introduit un doute et c'est ce doute qui me bouleversait, lui répliquais-je. Alternant les subtilités de la langue avec de nouveaux baisers difficiles à échanger par-dessus la table qui nous séparait, notre discussion nous amena jusqu'à l'heure d'ouverture du bar que nous avons retrouvé avec le plaisir qu'éprouvent ceux qui rentrent à la maison après un long et pénible voyage. Le whisky, le gin and tonic et les cacahuètes réapparurent sur la table et jusqu'au dîner il fit, à ma demande, le récit complet de sa vie dont il m'assura que j'étais la seule à la connaître dans ses moindres replis. Cet aveu me rendit si heureuse que je le laissai partir vers sa parenté le cœur plutôt léger même si, secrètement, j'espérais que la force d'attraction de mon amour lui rende insupportable l'idée de me quitter. La prochaine fois, pensai-je, il sera tout à moi, quitte à faire une neuvaine exprès pour ça.

Le dimanche matin posait problème puisque non seulement les bars, mais aussi la plupart des restaurants, étaient fermés. Nous avons bien tenté de marcher à travers la ville, mais le froid glacial nous gelait jusqu'aux os. Nous vécûmes donc une partie de la journée dans les autobus. Nous montions au hasard des parcours et, assis côte à côte, à mon tour je lui racontai ma vie en m'attardant longuement sur les épisodes les plus douloureux. Il m'écoutait avec une attention si touchante que tous mes malheurs semblaient moins réels. Grâce à mon bel ami, je me découvrais sous un jour nouveau, à la fois plus manipulatrice et plus fragile que je m'imaginais. A la nuit tombante, je le raccompagnai à la gare. Là, je ne pus lui soutirer la promesse de revenir à une date précise. Il m'expliqua que son travail l'obligeait à de longues heures d'antenne, que l'hiver rendrait plus aléatoire le voyage, les trains pouvant être immobilisés par les bancs de neige et, plus important, qu'il éprouvait un besoin vital, il insista sur le mot « vital », Bergson toujours, d'absorber toutes ces émotions intenses provoquées par ma présence dans sa vie. C'est peu dire que ma vision de notre amour s'opposait à la sienne. A la méditation, je préférais la présence physique. Je voulais être à ses côtés, le regarder, entendre sa voix, son admirable voix, le toucher aussi et enfin entrer en pâmoison grâce à ses baisers dont la douceur insistante m'était une révélation. Il m'enlaça longuement, j'entendais nos deux cœurs cogner en arythmie, puis il descendit vers le quai en se retournant une dernière fois : « A bientôt ! » articula-t-il afin que je puisse lire sur ses lèvres. « A bientôt ! » ? J'étais confondue.

Je lui écrivis le soir même. Puis ce fut à nouveau

l'attente, inquiète, agitée, optimiste, désespérée. Je grignotais plutôt que de manger, autour de moi on s'inquiétait de ma santé, j'avais du mal à me concentrer dans mes études. Seul mon militantisme y gagnait en intensité en servant d'exutoire à mon émotion exacerbée. Je reçus finalement une longue lettre que je laissai traîner quelques heures au fond de mon sac à main sans oser la décacheter. J'entrai dans une église, où je ne mettais plus les pieds depuis quelques années, et assise sur un banc d'une allée latérale, respirant l'encens et le cierge fondant, je lus et relus la précieuse missive. Il avait besoin de temps, écrivait-il, pour absorber ce grand bonheur. Et, surtout, il avait besoin de temps, seul avec lui-même. Il m'aimait, mais il aimait aussi cette distance géographique entre nous. Les mots « apprivoisement », « introspection », « éloignement salutaire » revenaient trop souvent pour ne pas m'inquiéter et me heurter. Dans le silence sacré de l'église déserte où les bruits me revenaient en écho, je m'agenouillai malgré moi, retrouvant le réflexe de l'enfance, et je priai sur mon propre sort. Je l'aimais, il m'aimait, pourquoi était-ce si douloureux, si mystérieux et si inextricable ?

Quelques semaines passèrent ; nos lettres se croisant, les miennes sans réserve aucune, enflammées, lyriques, mystiques parfois ; les siennes philosophiques, inquiètes, inquiétantes aussi mais amoureuses malgré tout. Notre mouvement le ramena à Montréal, nous retrouvâmes nos habitudes, les restaurants, le bar, les randonnées en autobus et la scène du départ dans mes larmes et la gravité de son regard. Durant ce week-end cependant, quelque chose s'était modifié en moi. Secrètement, j'avais pris la décision d'aller le rejoindre dans son pays lointain. Et les tempêtes de neige ne seraient pas un empêchement à mon désir. J'irais en raquettes si nécessaire.

A mon tour, je montai dans le train de nuit qui me déposerait à l'aube sur le quai de la gare de cette petite ville triste où, bébé, j'avais séjourné avec ma mère. J'avais pris soin de réserver une chambre à l'hôtel même où nous avions jadis logé. Une fois montée à bord du train, la panique s'empara de tout mon être. Et s'il refusait de me voir. Et si je découvrais des secrets sur lui. Il me fallait le prévenir. Je courus vers le hall et me précipitai sur un téléphone. C'était la première fois que je l'appelais. J'entendis la sonnerie à l'autre bout. Je tremblais et mes dents claquaient. Sa voix me parvint soudain, réelle, chaude, émouvante. « C'est moi », bafouillai-je. « Je sais, répondit-il, je l'ai deviné à la sonnerie. – C'est une erreur de te téléphoner. – Ne sois pas bête. Je suis heureux de t'entendre. – Le serais-tu de me voir ? – Bien sûr, ma mie. – Je suis à la gare, le train part dans dix minutes. » Il y eut un silence, un silence pendant lequel je m'appuyai à la tablette pour ne pas tanguer. Puis j'entendis cette phrase sublime que lui seul au monde pouvait prononcer : « Viens, très chère intrépide, je serai là, sur le quai. »

Je l'aperçus lorsque le train s'immobilisa à l'aube devant la cabane de bois qui servait de gare. Il neigeait à gros flocons. Les longues heures passées en compagnie de bûcherons, qui se saoulaient une dernière fois avant de monter au chantier, m'avaient secouée.

Dans ses bras, j'oubliai la nuit. Il m'accompagna à l'hôtel et, une fois dans le hall, le malaise s'installa entre nous. Qu'allions-nous faire ? Le lieu même mettait en évidence l'ambiguïté de notre relation. Nous n'avions jamais abordé la question de l'amour physique. Nous le craignions sans doute tous les deux. Il me laissa monter seule à la chambre. « Je te rejoindrai dans quelques minutes », avait-il dit, sans doute pour se donner une contenance. Je lui en étais reconnaissante, car je ne savais guère mieux quel comportement adopter. Cependant, j'avais une confiance totale en lui ; jamais il ne forcerait mon désir. Je déballai ma petite valise et l'attendis, nerveuse et timide, assise sur le lit qui occupait tout l'espace. Plutôt que de frapper, il gratta à la porte. J'ouvris. Il me regarda, hocha la tête l'air incrédule et me souleva de terre en m'enlaçant. J'en étais sûre : j'étais née pour ce seul instant de bonheur.

Nos baisers, dans cette chambre, sur ce lit, devenaient insupportables. Or, par un accord tacite, nous nous refusions à des caresses plus précises. J'avais peur, il le devinait, mais lui-même appréhendait sans doute les conséquences de tels gestes. Nous nous regardions, bouleversés par l'émotion, secoués par le désir physique, notre déchirement nous rendant muets. Je lui demandai de s'étendre sur le lit à mes côtés ; il y consentit à condition que je me couche sous les couvertures alors qu'il s'allongeait dessus. Nous avons passé un long moment, immobiles, au bord des larmes, évitant même de nous effleurer la main. Puis il se releva, déposa un baiser sur mon front et partit à la radio. « Écoute-moi dans quinze minutes », dit-il avant de refermer la porte de la chambre, qui n'était plus tout à fait la mienne sans être la nôtre. Je syntonisai sa station et, le cœur battant, je l'entendis ouvrir l'antenne : « Bonjour, mesdames, messieurs. Il neige abondamment ce matin mais, paradoxalement, le soleil éclaire notre région. » Dans mes rêves, je n'aurais imaginé amoureux plus romantique, plus délicat, plus ardent et plus mystérieux. Je l'aimais au-delà de mes forces.

Je me réveillai quelques heures plus tard au son de sa voix. C'était une vraie bénédiction de pouvoir ainsi être avec lui par la magie des ondes. Il termina son émission et je sus qu'il me revenait. J'eus à peine le temps de faire ma toilette que le téléphone sonna. Nous allions déjeuner dans un restaurant situé en dehors de la ville. « Tout le monde surveille tout le monde ici », dit-il en guise d'explication. Sans doute voulait-il garder sa vie privée à l'écart des rumeurs, mais je ne pouvais taire le doute qui surgissait en moi. Et s'il souhaitait simplement ne pas être vu avec moi à cause d'une autre fille ? Je luttais contre cette pensée trouble qui risquait de ternir le moment et l'indisposerait. Oh, que l'amour m'était difficile !

Nous avons retrouvé la chambre où il s'étendait à mes côtés selon le code prévu, puis il repartait au travail et je l'écoutais religieusement, amoureusement, fièrement. Il passa la nuit dans son appartement où il ne m'invita pas. « Je n'ai plus que ce lieu qui me soit propre. Comprends-moi, ta présence a envahi mon esprit et mon cœur. » Bien sûr, je comprenais. Il était visiblement content de ma réaction. A vrai dire, je ne comprenais absolument pas. J'apprenais instinctivement que l'amour, sans un minimum de feintes, basculait dans le drame. Je me rendais compte que ma fougue l'attirait et l'éloignait à la fois. Cette découverte me déconcertait. Il me semblait que jamais je ne craindrais, moi, d'être trop aimée. Les hommes étaient d'étranges créatures...

Lorsqu'il me remit à bord du train, nous avions épuisé toutes nos énergies. Notre amour, je le sentis, était désormais dans une impasse. Nous étions submergés d'émotions indomptables. Exténuée, le retour m'apparut comme une délivrance. Mais je refusais à mon ami le droit d'éprouver le même sentiment. Sans doute parce que j'étais sûre de pouvoir surmonter cet obstacle momentané alors que je doutais de la capacité de mon amoureux à faire de même. Le lendemain, une fois réinstallée dans la routine quotidienne, l'inquiétude me rongea de nouveau. J'allais perdre l'homme de ma vie. Avant même que la rupture ne se concrétise quelques semaines plus tard dans des lettres déchirantes de sa part, et suppliantes de la mienne, les tourments de la peine d'amour me dévoraient le cœur.

J'ai oublié les modalités précises de la séparation. L'ai-je revu au cours d'un week-end ? A-t-il lui-même mis un terme à la correspondance ? Je me rappelle seulement qu'il démissionna du mouvement, évitant sans doute de nous mettre en présence l'un de l'autre. J'ai pleuré ce que j'imaginais être alors, n'étant pas devineresse, toutes les larmes de mon corps. Je voyais dans les rues une silhouette qui me rappelait la sienne et j'avais mal. J'entendais son prénom comme une brûlure. Certaines voix mâles me déchiraient l'oreille. Cela a duré des mois. Cela dure encore. Car la mémoire est plus qu'une abstraction. La mémoire est le souvenir de l'émotion.

*
* *

La salle était enfumée et l'atmosphère électrisante. Les responsables syndicaux s'en donnaient à cœur joie, dénonçant les patrons aux méthodes moyenâgeuses qui exploitaient leurs ouvriers. Ces derniers, en grève depuis plusieurs semaines, avaient été amenés par autobus à cette assemblée d'appui à leur cause qui réunissait toute la gauche montréalaise. Ce soir-là, ces humbles travailleurs étaient les vedettes d'une mise en scène organisée pour donner aux idéologues des frissons révolutionnaires qu'ils analyseraient longuement, dans quelques heures, autour d'une table, dans les bars branchés qui leur servaient de quartiers généraux.

Les grévistes de l'usine située à une soixantaine de kilomètres de Montréal – où certains d'entre eux avaient rarement mis les pieds – se battaient pour obtenir des conditions de travail décentes alors qu'ils étaient exploités selon des méthodes qu'on croyait révolues. Les patrons, qui contrôlaient aussi la ville, utilisaient la peur, la violence et le chantage contre une population démunie qui, de génération en génération, se retrouvait à la merci de ces caciques locaux. Le combat de ces humbles travailleurs était juste, mais la récupération de celui-ci par certains théoriciens de la lutte sociale apparaissait plus que douteuse. Nous vivions dans la grande récréation des années soixante, et ces ouvriers de l'ombre devenaient les symboles de la lutte des classes pour tous ceux qui rêvaient à l'homme nouveau.

En compagnie de quelques camarades journalistes, j'écoutais les discours radicaux des syndicalistes professionnels parlant au nom des grévistes muets qu'on avait fait monter sur scène à titre de figurants, avec un sentiment grandissant de gêne et d'inconfort. Puis ce fut au tour d'un de ces figurants de prendre la parole. Tout de noir vêtu, petit, blond, souriant timidement, cet homme n'était visiblement pas ouvrier. Il s'approcha du micro et sa seule présence imposa le silence. « Je suis venu ici en compagnie de mes amis », dit-il. Il déclara qu'il n'était qu'un prêtre qui croyait en la justice et la dignité humaine. Il n'aimait pas les sermons, n'avait ni le talent, ni l'expérience, ni la formation des orateurs qui l'avaient précédé, mais il parlait avec son cœur et parce que ses amis le lui avaient demandé. Il espérait que la soirée aiderait au règlement du conflit. « Une solidarité qui ne se concrétise pas dans l'action est inutile et dangereuse parce qu'elle soulève l'espoir et que l'espoir déçu entraîne le découragement. Vous êtes un espoir pour nous. S'il vous plaît, ne nous décevez pas », conclut-il en baissant le ton. Il y eut un silence, puis des applaudissements clairsemés. Les intellectuels préfèrent les appels à la révolte et les menaces apocalyptiques et, surtout, ils n'aiment pas les curés.

Sa sincérité, sa vérité et sa retenue m'avaient touchée. Je voulais savoir qui était ce prêtre. A la fin de l'assemblée, je me frayai un chemin jusqu'à lui en compagnie d'un confrère, intrigué comme moi par ce curé sans panache et sans condescendance. Il était vicaire de la paroisse où se situait l'usine, nous apprit-il, et jamais il n'aurait pensé prendre la parole dans une réunion syndicale. Sa place à lui était auprès de ses ouailles. Or, cette grève interminable et cruelle l'avait bouleversé : « Mon camp est celui des pauvres, c'est la seule assurance que m'apporte la foi. Je tromperais le Seigneur si je n'étais pas auprès d'eux. » Dans sa bouche, ces paroles ne semblaient ni déplacées ni démodées. C'était d'autant plus curieux qu'à cette époque l'anticléricalisme ambiant nous empêchait de trouver quelque vertu aux hommes d'Église. Ces derniers nous avaient noyés dans la doctrine et les dogmes, et avaient pourfendu les contestataires refusant de se soumettre à leur volonté dont ils assuraient qu'elle était d'origine divine. Cet homme souriant, dont le regard et la voix n'étaient que douceur, semblait étranger à l'univers clérical auquel il appartenait.

Peu à peu, la salle se vidait de ses participants mais nous continuions de l'interroger sur la situation qui prévalait dans la petite ville. L'un des grévistes s'était joint à nous, et la conversation se poursuivit jusqu'au moment où l'on nous demanda de libérer les lieux. Nous avions envie de prolonger la discussion et je proposai donc d'aller dans un bar du quartier. « Allez, l'abbé, c'est pas tous les jours que les journalistes de Montréal s'intéressent à nous », dit l'ouvrier, sentant la réticence du prêtre. « L'autobus ne nous attendra pas », dit ce dernier. « Nous vous reconduirons », ajouta mon confrère, flairant la bonne copie. « Tu viendras aussi, dit-il, ne me donnant pas le choix. Je ne veux pas risquer de m'endormir au volant au retour. »

Très tard dans la nuit, nous quittâmes la ville. Mon confrère avait fait asseoir le gréviste à ses côtés et je me retrouvai derrière avec l'abbé. J'étais vaguement embarrassée. Nous avions épuisé plus ou moins la conversation sur le conflit, nous roulions dans la nuit déserte et nos compagnons de voyage parlaient maintenant à voix basse. Je regardais à travers la fenêtre, sans dire un mot ; la fatigue, peu à peu, se faisait sentir et j'en voulais à ce journaliste zélé de m'avoir imposé ce long périple.

Il avait murmuré quelque chose. « Vous m'avez parlé ? » dis-je. « Je vous demandais si vous étiez heureuse. » Je me tournai vers lui. Il souriait, attendant ma réponse. Pourquoi n'ai-je pas eu le sentiment que sa question était déplacée ? Sans doute parce que personne ne me l'avait jamais posée dans toute sa vérité. Alors, je répondis. Je m'entendais lui faire des aveux, j'ouvrais mon cœur, je ne retenais plus l'inquiétude, la tristesse et la déception qui étaient alors mon lot. Il écoutait, totalement attentif aux paroles mais aussi aux silences. Il écoutait non pour recevoir des confidences, mais plutôt comme s'il désirait, à travers mes mots, dire ce qui l'habitait, lui. Nous avions oublié les voyageurs de la banquette avant. Nous étions seuls, enveloppés par la nuit. Cet homme ne ressemblait à aucun autre. J'étais troublée. Mais j'étais surtout troublée d'être troublée par lui.

Nous roulions plus doucement, car nous entrions dans la petite ville. C'était la fin d'un singulier voyage. Avant de descendre devant le presbytère qui jouxtait l'église, il me glissa à l'oreille : « Si vous avez envie de causer un de ces jours, faites-moi signe. Notre conversation m'a fait du bien. » Notre conversation ? Il avait à peine parlé. Je lui avais fait du bien ? Je ne saisissais pas. Cependant, cette heure en sa présence m'avait pacifiée. Mais je me méfiais de la vieille nostalgie religieuse qui refaisait surface.

« Qu'est-ce que vous vous racontiez derrière en chuchotant ? » demanda avec une curiosité qui me parut suspecte mon confrère alors que nous revenions vers Montréal. « Nous bavardions de tout et de rien », répondis-je, décidée à mettre un terme à l'interrogatoire. « Méfie-toi, ajouta-t-il, on n'a plus les curés qu'on avait. » Il ne se passait pas de semaine en effet sans que l'on n'apprenne que tel prêtre connu avait quitté les ordres, la récréation générale n'étant pas réservée aux laïcs. Je comptais même parmi mes amies une ancienne religieuse contemplative qui avait abandonné le cloître et la robe de bure. Je l'avais rencontrée quinze jours après sa sortie, vêtue d'une minijupe vert phosphorescent qui aurait pu servir de panneau indicateur sur l'autoroute la nuit. Elle s'était acheté à crédit une Chevrolet Camaro rouge et découvrait les plaisirs interdits du flirt inoffensif et des bloody-mary doubles. Par ailleurs, j'avais enseigné dans une école secondaire deux ans auparavant, et une des enseignantes religieuses, sœur Jeanne du Crucifix, nous avait souhaité bon week-end un vendredi après-midi de novembre. Le lundi matin suivant, Jeanne Trépanier faisait une entrée remarquée en tailleur-pantalon. Son week-end à elle avait été mouvementé : elle avait fait ses adieux aux dames de la Congrégation Notre-Dame, communauté à laquelle elle avait appartenu vingt-deux ans. Tel était le contexte dans ces années bruyantes et exaltantes où l'abbé et moi faisions connaissance.

J'attendis quelques semaines avant d'oser lui faire signe. Sa pensée ne me quittait pas, mais je luttais contre moi-même. Avais-je perdu la tête ? Cet homme était prêtre, j'étais en instance de séparation, malheureuse et esseulée, je n'allais tout de même pas jouer la pénitente à la recherche d'un confesseur ou, mieux, d'un directeur spirituel. Qui plus est, j'avais lu suffisamment de chapitres de Freud pour analyser l'attirance que cet homme interdit pouvait exercer sur la baptisée que j'étais toujours. J'affichais un anticléricalisme de bon ton, mais l'iconoclastie me répugnait. Je cherchais donc une excuse vraisemblable et valable pour l'appeler et n'en trouvais pas. Un soir, dans un moment de faiblesse, je ressortis du tiroir où je l'avais jeté le bout de papier sur lequel, de son écriture fine et serrée, il avait inscrit son nom et son téléphone. Je respirai à double reprise et composai le numéro du presbytère. Une voix bourrue me répondit ; c'était le curé. « Vous n'êtes pas la première ce soir, le téléphone n'a pas dérougi depuis deux heures. Attendez une minute », grogna-t-il, impoli et ennuyé à la fois. J'eus envie de raccrocher comme une enfant prise en faute. « Bonsoir, dit la voix du vicaire, quel plaisir de vous entendre ! » Ce qui m'étonna fut son ton, à la fois ravi et pressé d'en arriver aux faits.

Trente secondes plus tard, nous étions convenus de nous retrouver dans un restaurant de mon choix.

« Je n'en connais aucun à Montréal », avait-il avoué. L'objet de la rencontre étant inconnu, j'ignorais ce qui l'amenait vers moi et je refusais d'admettre l'élan qui me portait vers lui. J'en parlai à ma meilleure amie. « Le ciel t'est tombé sur la tête », fut sa réaction première et finale. Elle ne croyait pas si bien dire.

J'avais réservé une table dans un restaurant du quartier anglophone, où l'anonymat nous serait garanti. J'espérais aussi qu'il ne porterait pas de col romain, notre rencontre me semblait suffisamment ambiguë pour que l'on évite de l'exposer ouvertement aux regards extérieurs. Et j'arrivai avant l'heure pour me donner une contenance. J'étais nerveuse et, pour tout dire, pas très fière de mon coup. Je me morigénais tout bas lorsqu'il fit son entrée. Il semblait inquiet lui-même, mais sa figure s'éclaira quand il m'aperçut. Il vint vers moi presque en courant. Il portait le même pantalon noir froissé et le même pull noir fatigué de la soirée syndicale et souriait de toutes ses dents comme un enfant comblé. Sa gaucherie, sa timidité et son enthousiasme me confondaient. Qu'allions-nous donc nous dire ? Il me demanda de commander pour lui, car la carte semblait trop sophistiquée à ses yeux. Buvait-il du vin ? « Ce soir, oui, l'événement est si spécial », dit-il avec une sincérité déconcertante. Nous parlâmes de la grève dont l'issue était encore incertaine. Il me décrivit la misère des ouvriers, l'humiliation des pères de famille, incapables de faire vivre leurs ménages et qui n'osaient plus regarder leurs femmes et leurs enfants en face. Je l'écoutais avec une émotion qui s'amplifiait et dont j'étais à peine maîtresse. Il s'en rendit compte et se tut quelques instants. Son sourire disparut. Il but une gorgée de vin, reposa le verre sur la table, déplaça ses couverts, les replaça, reporta le verre à ses lèvres, le vida et le remit en place. « Il faudrait bien que je vous parle de moi et de ce qui m'amène vers vous », dit-il en me regardant avec douceur. D'ailleurs, tout de lui était doux. Entré au séminaire à dix-sept ans, par amour de Dieu et pour servir les autres, il ne connaissait la vie qu'à travers les confidences de ceux qui recherchaient son aide. Depuis quinze ans, il vivait parmi les démunis qui avaient été ses guides et ses maîtres. « A vingt ans, enfermé dans ma chambre du séminaire, je regardais les voitures qui circulaient dans la rue au loin et je trouvais déplacé qu'elles ne soient pas noires. Les couleurs me semblaient frivoles, choquantes. Pouvez-vous comprendre d'où je viens ? » demanda-t-il presque douloureusement. Je ne savais que dire. J'étais transportée dans un monde insolite, fermé, dont les codes m'échappaient. En même temps, je ressentais presque physiquement la déchirure masquée par son sourire. « J'ai beaucoup pensé à vous, j'ai beaucoup réfléchi et j'ai longuement prié. » Ce soir-là, il ne dirait rien d'autre. Or, je voulais poursuivre le dialogue. Pouvais-je lui poser des questions ? « Seulement quand j'aurai trouvé des réponses », dit-il, ajoutant qu'il croyait connaître mes propres réponses à des questions qu'il se refusait lui-même de me poser. « Une partie de mon espérance repose sur cette certitude. Il me faut l'espérance entière. » J'avais aimé, j'avais été aimée. Pourtant, devant cet homme, j'étais absolument démunie, sans repères.

Une fois sur le trottoir, il chercha sa direction. « Je ne connais pas la ville et je n'ai aucun sens de l'orientation. » J'offris de l'accompagner. « Il faudra bien que j'apprenne à me débrouiller à Montréal. Autant commencer ce soir. » Je restai sur place à l'observer. Il s'éloigna, sans un geste et sans un mot. Arrivé à l'intersection, il hésita, s'engagea dans la rue, revint sur ses pas et m'aperçut. Il me fit signe de la main, sourit, haussa les épaules et s'éloigna sans se retourner. Déjà sa présence me manquait.

Alors que j'avais vécu jusque-là dans l'attente incertaine d'un coup de téléphone au début de chaque nouvel amour, cette fois je n'éprouvais aucun doute. J'entrais dans la vie de cet homme à un moment crucial pour lui, et rien ne le ferait dévier de son destin. Il ignorait tout du jeu de la séduction et n'imaginait probablement pas que certains de ses confrères, prêtres mondains, étaient loin de prêcher par l'exemple avec les femmes. Mais se pouvait-il qu'il m'aime, lui pour qui l'univers féminin représentait un mystère ? Et était-il possible d'aimer un homme qui ne savait des femmes que ce qu'elles avaient consenti à avouer d'elles-mêmes dans le secret du confessionnal ?

Certains jours, j'espérais ne plus avoir de ses nouvelles. Cette histoire, on la lit dans les romans sulfureux, me disais-je. J'avais trop fréquenté Bernanos, Mauriac, Julien Green, tous ces géniaux obsédés du péché. Je vivais la fin pénible d'une séparation à l'amiable avec un garçon sensible et trop fragile que j'avais malmené malgré moi. Cette séparation, même volontaire, n'en demeurait pas moins un arrachement et un rêve brisé. N'étais-je pas en train de chercher à m'en distraire dans une relation hors de tout entendement ? J'étais folle, m'avait affirmé mon amie. Elle avait tort. C'était pire encore : mon esprit se fêlait.

Puis, je reçus un mot. Une petite page de son écriture serrée, propre et sans fioritures. Il réfléchissait toujours à la recherche de sa vérité. Il passait des heures seul, la nuit, dans l'église. Parfois, écrivait-il, il hurlait aux loups. Il avait mal. Personne ne pouvait rien pour lui. J'apparaissais dès que la douleur lui apportait un répit. Attendrais-je, aurais-je la patience de lui laisser traverser son propre désert ? Il risquait de me perdre, mais quel autre choix s'offrait à lui ? La duplicité ? Impossible, elle représentait la plus épouvantable des trahisons. « Pensez à moi », écrivait-il en guise de salutations. Je relus la lettre pour y retrouver son émotion. Je la relus chaque jour, jusqu'à l'usure des mots. De nouveau, j'étais mal dans ma peau. L'oubli s'imposait. Or, il se manifesta. Étais-je libre pour tout un après-midi ? Je me libérai pour la journée entière.

Il avait rendu visite à son évêque et l'avait informé de sa décision de quitter la prêtrise. Je le regardai, incrédule. « Ça n'est pas à cause de vous », s'empressa-t-il de préciser devant ma mine chavirée. Mais j'étais catastrophée. Par sa décision et par l'assurance tranquille qui se dégageait de lui. Il semblait croire que l'amour était facile, que la pureté des intentions aplanissait les obstacles. Il m'aimait, et cette évidence s'imposait à lui. Il m'aimait parce que sa liberté nouvelle lui en donnait le droit. Depuis des années, la solitude l'asséchait. Il vivait traqué, incapable de se résoudre à faire le deuil de son cœur. Depuis des années, la simple vue d'un couple le bouleversait. « Je serais devenu un mauvais prêtre, j'aurais trahi tous ceux que j'aime si j'avais continué à vivre dans ces contradictions. » Il croyait que je l'avais compris au cours de notre randonnée nocturne et notre dîner en tête à tête. « Non, non, c'était plus compliqué que cela, plus flou aussi. – Tout est clair puisque je vous aime et que vous m'aimez. » Je l'aimais ? Il m'aimait ? Pourquoi en était-il si certain ? « Parce que c'est la première fois que ça m'arrive et que vous, vous avez aimé avant moi. »

Pour la première fois de ma vie, c'était mon tour d'avoir peur de l'émotion. Pourtant, j'avais toujours souffert de la retenue et du recul des hommes que j'avais aimés. Nous étions dans ma voiture, stationnée à l'observatoire du Mont-Royal, la ville à nos pieds. Comme tous les amoureux, j'y étais venue adolescente me bécoter à l'abri des regards curieux avec des garçons plus ou moins audacieux. Aujourd'hui, au même endroit, un homme qui échappait à toutes catégories et à toutes étiquettes m'offrait un amour imprévu, inestimable et inconnu. Il me regardait si intensément, si tendrement que j'eus envie de frôler sa joue de ma main. Je retins mon geste car j'en connaissais les conséquences. Son regard ne me quittait pas. Il semblait avoir toute la vie devant lui. Le temps ne comptait plus.

« Je voudrais prendre ta main. » Je la lui cédai, bouleversée par le tutoiement. Il l'enferma dans les siennes et se mit à pleurer. Puis, je pleurai à mon tour, devant cet amour qui me donnait le vertige. Sous nos yeux, les lumières de la ville s'illuminèrent peu à peu. Mais nous ne songions pas à partir. « Voulez-vous m'embrasser ? » lui demandai-je lorsque l'obscurité nous eut enveloppés. « Pas aujourd'hui, répondit-il. Je ne peux pas absorber tant de bonheur concentré. »

Ce soir-là, il retourna à son presbytère et je rentrai dans mon minuscule appartement en entresol, vidé d'une partie du modeste ameublement, conséquence de l'entente à l'amiable. Cette nuit, la solitude ne me faisait plus peur. La passion de mes vingt ans venait de naître.

Le bruit du verre éclaté brisa le silence qui nous entourait. Nous étions au fond des bois et cet immense chalet d'été, condamné pour l'hiver, serait le refuge de notre amour exacerbé. Nous ne pouvions plus supporter nos rencontres au restaurant ou dans l'auto. La procédure cléricale suivait son cours selon un rythme qui ne correspondait nullement à celui de nos sentiments et de nos désirs. Et nous vivions, tous deux, une période transitoire où il était impératif de protéger l'amour-propre et la sensibilité de ceux qui nous entouraient. L'amour ne se construit guère sur les ruptures fracassantes et le scandale.

Dans sa nervosité, il avait oublié la clé de cette maison, connue de lui, et que nous allions squattériser pour quelques heures. La cheminée de pierre occupait le centre de la pièce principale et assurerait notre chauffage. A moins vingt degrés, le soleil éclaire mais ne réchauffe plus. Bientôt, le crépitement du bois sec se fit entendre et nous nous installâmes devant le feu. L'activité de survie avait momentanément calmé notre fébrilité et notre gêne de nous retrouver seuls, isolés de tous.

Au-delà de l'espace réchauffé par l'âtre, la température, à cause des multiples courants d'air, restait frigorifique. Nous étions, en quelque sorte, prisonniers à l'intérieur d'un mur imaginaire mais glacial. C'est sur le plancher en pin, devant la cheminée, que se déroula notre déjeuner sur l'herbe. C'est là aussi que, emmitouflés, nous nous sommes étendus l'un à côté de l'autre. C'est là que, beaucoup plus tard dans la nuit, le bruit des souris courant autour de nous ne me fit plus peur. Et c'est l'unique fois dans ma vie où je vis le corps d'un homme éclairé par le feu et la lune.

Le lendemain, alors que nous marchions péniblement l'un derrière l'autre dans le chemin où nos traces de la veille avaient disparu, il me cria d'une voix que je trouvais changée, ce qui l'amusait : « J'ai besoin de toi pour m'acheter des vêtements. » Depuis plus de quinze ans, il ne portait que du noir. Je l'emmenai quelques jours plus tard dans un grand magasin et j'assistai à sa métamorphose. Au-delà du brun ou du gris, il rejetait tout ; chemises, pantalons, vestes, chaussettes. Il n'arrivait plus à faire les nœuds de cravate et n'osait pas se regarder dans le miroir. « Regarde-toi, regarde comme tu es beau ! – Tu me regardes, ça me suffit », répondait-il en s'éloignant des glaces. Il était troublé, profondément, et je riais, trop fort car son malaise me touchait. « Je ne sais plus qui je suis », avouera-t-il quelques mois plus tard, après que nous eûmes fait l'amour dans la sauvagerie et les sanglots.

Nous avons vécu ensemble dans un meublé minable, puis dans le sous-sol à moitié aménagé d'une maison bourgeoise où nous entrions par la porte de service à l'arrière, puis enfin dans un appartement mal éclairé, où nous nous aimions en écoutant les Beatles et Janis Joplin. C'est avec lui que j'ai foulé pour la première fois le sol de France où nous découvrions, mi-admiratifs mi-horrifiés, la révolution de Mai 68. Nous ne supportions pas que les manifestants défigurent Paris qui nous appartenait, au moins autant qu'à eux. Les pavés arrachés, les murs barbouillés, les statues défigurées nous révoltaient. Mais notre amour s'alimentait aussi de cette joyeuse camaraderie que nous côtoyions dans les rues. « Vive le Québec libre ! » nous lançait-on en nous entendant parler. Nous étions heureux.

Mon travail m'obligeait à une vie sociale intense. Les journalistes, souvent blagueurs, pratiquent l'humour caustique et se vantent de douter de tout. Il avait trouvé un travail auprès des démunis, dans un milieu politisé, sérieux et contestataire. Parfois, j'avais l'impression qu'il était de nouveau entré en religion, laïque cette fois. J'étais entourée d'amis ; lui en avait peu. Tout entière portée par la passion qu'il m'inspirait, j'écartais du revers de la main les remarques qu'il formulait parfois sur la difficulté de vivre parmi mes seuls proches. « Tout le monde t'adore », lui répétais-je. « Mais ce ne sont pas mes amis », disait-il. « Mais si, puisqu'ils sont les miens. » « Justement », ajoutait-il. Alors, je m'approchais de lui par derrière, mettais les mains devant ses yeux, il me ramenait vers l'avant, m'inclinait par terre et, là, il redécouvrait encore et encore son identité. Il était l'homme, le seul homme de ma vie, et j'en étais absolument amoureuse.

A quelques occasions, il tenta de renouer des liens avec des confrères de son « autre vie », comme il désignait ses années de prêtrise. Il revenait de ces rencontres abattu, taciturne, mélancolique. J'étais peinée pour lui, mais je restais impuissante.

Comment pouvais-je entrer en compétition avec ce monde du sacré, des symboles et de la liturgie ? Il se défendait bien de regretter les anciennes structures qui l'avaient si longtemps encadré, mais plus le temps passait, plus la tristesse refaisait surface. Je me refusais à comprendre, d'autant qu'il m'aimait avec cette fougue et cette sensibilité trop longtemps refoulées qui me transportaient. Il m'aimait comme un homme doublé d'un adolescent romantique. J'étais comblée et je me convainquais que seule la mort mettrait un terme à notre passion.

Avait-il encore la foi ? « Je crois en Dieu », répondait-il quand je l'interrogeais sur ses convictions. Il n'avait pas remis les pieds à l'église. Un jour, il m'accompagna à des funérailles. Il paraissait nerveux et fit un effort visible pour se donner une contenance. La messe débuta. Je l'observais à la dérobée, habitée aussi par une nervosité qu'il m'avait communiquée. Il marmonnait les prières en même temps que l'officiant. Son bouleversement me peinait. Sans doute avait-il surestimé ses forces. A l'Évangile, il quitta l'église.

Lorsque je regagnai la maison en fin de journée, je trouvai un homme effondré. Je tentai de le faire parler. Il refusa. « J'ai besoin d'être seul, dit-il en enfilant son pardessus. Ne t'inquiète pas ; je reviendrai tard. » Je restai muette, le regardant descendre le long escalier qui menait à l'extérieur. Devinant ma présence, il se retourna : « Comprends-moi », dit-il en guise de supplique.

L'attente dura jusqu'aux petites heures du matin. A compter de minuit, je m'installai à la fenêtre d'où je guettais, rongée d'inquiétude, les phares des voitures que j'apercevais au loin. Ça n'était jamais ceux de la vieille Volkswagen, toute rouillée, qu'il n'aurait jamais échangée pour une autre plus confortable. D'ailleurs, il avait du mal à vivre dans le confort. C'était un des points d'accrochage entre nous. Il prêtait de l'argent au premier venu et dans le milieu où il œuvrait, certains, peu scrupuleux, avaient déjà commencé à exploiter sa générosité.

Il était trois heures passées quand la voiture s'immobilisa le long du trottoir d'en face. Je remarquai qu'il titubait en sortant de l'auto. Jamais je ne l'avais vu ivre. J'eus le temps de me ressaisir car il montait les marches avec lourdeur et lenteur. Quand il m'aperçut, il amorça un sourire : « J'ai rencontré des amis à la taverne à côté du bureau. » Il était retourné parmi les pauvres et les démunis dont il se sentait si proche. En fait, il n'aimait que les pauvres et éprouvait une vraie culpabilité à vivre autrement qu'eux. A ses yeux, mes amis et moi étions des étrangers, et notre monde, un univers où il étouffait et avait le sentiment de perdre son âme.

Je l'aidai à se mettre au lit. Il se laissa dévêtir comme un enfant. Il « déparlait ». Je m'allongeai à ses côtés. Il me serra trop fort dans ses bras. Je le repoussai doucement. Cette nuit, je le repoussais mais demain c'est lui qui s'éloignerait. Il dormait déjà avec le ronflement des hommes ivres. J'étais dévastée, seule et terrifiée. J'allais le perdre.

A partir de cette nuit-là, la douleur d'aimer s'intensifia. En apparence, rien n'avait changé. Nous étions un couple envié par tous ceux qui rêvent de passion, tout en étant incapables de l'assumer eux-mêmes ; nous nous retrouvions avec l'émotion des amants clandestins et nous participions l'un et l'autre à l'ébullition sociale de l'époque. Grisés par les changements, renversés par l'éclatement subit des structures traditionnelles, nous étions les acteurs euphoriques d'une pièce improvisée avec brio et dont on ignorait volontairement la fin. Quand se refermait la porte sur les derniers invités de ces dîners interminables, remplis de gaieté et de projets perpétuels, le chagrin me tombait dessus comme une chape de plomb. Il me prenait dans ses bras, amoureux transi ainsi qu'au premier jour, mais il avait perdu les mots pour me rassurer. Sa fougue, son intensité et son désir démesuré ne suffisaient plus ; les scènes d'amour me laissaient sans espoir.

De retour d'un reportage aux États-Unis, je rentrai une nuit à l'appartement et me heurtai à des masses inertes étendues dans la pièce de séjour. Il avait recueilli des garçons, plus ou moins recommandables, « ses amis » précisa-t-il en guise d'explications, ceux-là même, sans doute, qui, abusant toujours de sa bonté, lui soutiraient une partie de sa paie mensuelle. Fatiguée, furieuse, je le sommai de m'expliquer pourquoi la maison était transformée en un centre d'accueil. « Ils sont en difficulté et ont besoin de moi », dit-il d'un ton décidé, entêté même, que je ne lui connaissais pas. « Moi aussi, j'ai besoin de toi », répondis-je mi-irritée, mi-déstabilisée. « Tu as tes amis, ton travail, tu es comblée. Eux, ils n'ont que moi. » Dès lors, je compris que le prêtre avait repris du service. J'étais impuissante à lutter contre un passé aussi mythique et symbolique. Comment se battre, en effet, contre un commandement de Dieu ?

La nuit, je me réveillais de plus en plus souvent, l'inquiétude ayant un effet corrosif sur le sommeil. Je me collais contre son corps, et la sensation physique de sa peau sur la mienne accentuait ma torture. Encore un peu de temps et cette émotion ne serait plus que souvenir et mémoire. Incrédule, je suppliais le ciel de m'accorder un sursis. Par-dessus tout, je ne voulais pas prendre l'initiative du déchirement. J'étais si effrayée, si découragée et si faible face à la douleur qui entravait ma vie.

J'avais adopté, sans le savoir, l'approche des alcooliques anonymes, vivant vingt-quatre heures à la fois. Il nous arrivait parfois, après l'amour, de nous dévisager, épouvantés par la brutalité de notre douleur commune. Si sa vie m'appartenait, sa survie n'était envisageable qu'éloigné de moi. Puisque je l'aimais, je m'inclinerais devant cette vérité. D'ailleurs, n'était-ce pas aussi la seule façon de faire perdurer l'amour ?

Puis un soir, ce fut notre dernier soir. La nuit qui suivit fut notre dernière nuit. Le lendemain, les déménageurs – il s'agissait de ses fameux amis – arrivèrent plus tôt que prévu, c'est-à-dire avant mon départ au travail. Désinvoltes, ils parlaient bruyamment et s'adressaient à lui sans tenir compte de ma présence. Lui n'osait plus me regarder, comme un enfant coupable qui sent la peine de l'autre. Il se jouait à lui-même le jeu de la liberté. Enfin, enfin, il s'appartiendrait.

Je perdis du poids, l'appétit ayant disparu. J'errais dans l'appartement, j'errais dans la ville et j'errais en moi-même. Seul le travail mettait un baume sur ma blessure. La compassion des amis me fut d'un grand secours mais elle s'estompa plus vite que mon chagrin. Certains soirs, j'étouffais ; alors je sortais précipitamment à la recherche de l'air glacial. Parfois, je pleurais dans la rue à la vue d'un couple enlacé. J'avais banni la radio : toutes les chansons, même les plus liquoreuses, me rendaient malade. Il m'appelait quelquefois. Je disais : « Raccroche, ça fait trop mal » et j'entendais le déclic du combiné. Mais la douleur extrême, c'était de faire l'amour. Surtout après l'amour, quand nous nous rhabillions et que surgissait l'instant de la nouvelle séparation. Dans l'amour, il faut à tout prix trouver le courage de ne plus se voir. Je mis des mois avant d'être courageuse. Et des années avant d'être heureuse de nouveau. Il m'arrivait de trouver dans le courrier des petits mots non signés qui me brûlaient les doigts. J'en garde précieusement, éternellement, les cicatrices.

*
* *

Les gens atteints de vertige sont, paraît-il, attirés par le vide. Il en est de même de certaines passions amoureuses. Dès le premier regard, dès le premier frôlement, dès la première étreinte, l'abîme nous attire sans que l'on puisse y échapper. La mémoire ne conserve de ces amours que l'affliction, comme si les moments de bonheur avaient été emportés par des lames de fond. Les événements, les lieux, les êtres qui y ont été associés deviennent eux-mêmes objets de souffrance. Ce sont les amours qui tuent.

Qu'ai-je laissé de moi-même dans cette chambre 1402 de l'hôtel où j'avais l'habitude de descendre et où je n'ai plus jamais remis les pieds ? Mes larmes sont cristallisées et mêlées à la lave au pied d'un volcan coléreux, une part de ma joie est emprisonnée à jamais au troisième étage d'une tour célèbre, une espérance s'est noyée en mer au large d'un village paresseux blanchi à la chaux. J'ai roulé six heures vers les sommets de neiges éternelles, les yeux mouillés et les tempes brûlantes, j'ai abandonné mon rêve dans un marché surpeuplé, criard et parfumé d'un continent perdu et j'ai désespéré de New York à Prague et de Montréal à Montréal.

Je regarde les photos prises alors, je vois une femme qui me ressemble mais que je ne connais pas. On dit d'elle qu'elle est intense, excessive, épuisante. On dit aussi que c'est une femme blessée qui suscite l'envie et parfois la haine. Comment peut-on désirer ses blessures et envier celle qui souffre ? On dit que c'est une survivante et qu'elle raconte une histoire pour brouiller les cartes, que sa véritable histoire ne se raconte pas car il serait impossible de retrouver le début et d'identifier la fin. On dit, de plus, que cette femme s'est évaporée, certains doutent même qu'elle ait réellement existé. Je l'ai croisée sans la voir à vrai dire.

Mon souvenir d'elle est saisonnier. L'automne, à la fin du jour, quand la pluie acharnée s'abat sur la ville, elle surgit, apparition indésirable, et l'heure, l'absence de lumière, le fond de l'air me ramènent à d'autres heures sur un autre continent, à d'autres noirceurs ailleurs et à d'autres fonds de l'air, trop chauds, trop lourds ou trop tristes. Je marche à côté de lui ou plutôt légèrement derrière lui afin d'observer ses réactions. Car je suis à l'affût d'un sourcillement, d'une contraction de la bouche, d'un frémissement du nez. Je ne comprends plus ce qu'il dit, je n'entends plus que ce qu'il tait. Et sa présence comme son absence m'affolent. Quand une femme s'approche de lui, je faiblis, convaincue que le regard qu'il porte sur elle, son parfum qu'il respire, les mots qu'il prononce à son intention sont autant de privations qu'il m'impose. Chaque jour en sa compagnie m'éloigne de notre avenir commun, me confirme plutôt l'imminence de la séparation.

A d'autres moments, je lis dans ses yeux qu'il regrette son élan initial et enrage d'y avoir cédé. Je suis une femme en trop. Alors, je la méprise, je l'insulte, je m'acharne à la rabaisser. Elle ne le mérite pas. Si seulement elle pouvait s'humilier au point de n'être plus que son ombre à lui. Parfois, il lui semble y parvenir, mais l'homme n'est jamais satisfait. Il la voudrait toujours ailleurs que là où elle surgit ; elle devrait prononcer des mots lorsqu'elle se fait silencieuse et se taire quand elle parle.

Je me souviens d'elle un soir où la révolte l'avait habitée. Elle décrivit à une personne inconnue une ville éventrée par les bombes où elle n'avait jamais mis les pieds. Cette ville lui ressemblait, disait-elle. La personne inconnue, mystifiée, lui avait tourné le dos. Quel comportement déplacé, quel accroc au protocole ! avait-elle pensé.

Face à face, seule avec lui, elle s'entendait converser en désynchronisation ou, plutôt, elle formulait des phrases qui lézardaient davantage leur union, qui donnaient à l'homme une avance marquée dans ce jeu de massacre. La nuit, pour lui obéir, elle dormait à l'autre extrémité du lit. Il exigeait qu'elle dorme. Alors, elle fermait les yeux pour traverser la nuit blanche où l'envie de vivre s'érodait sans douleur.

Une personne distraite s'est entretenue avec elle, croyant avoir affaire à la femme dont on lui avait vanté les exploits. Elle ne trouva qu'une femme tourmentée, doutant d'elle-même, s'excusant presque d'avoir jadis aimé la vie avec légèreté. Elle s'en détourna aussitôt, puisque cette autre elle la recherchait pour sa gaieté, sa vitalité et son humour.

Il arrivait à l'homme de faiblir en sa présence. Il la dévisageait et elle se soumettait à son désir, un désir où la terreur, le plaisir et le sentiment de souillure s'emmêlaient. Son plaisir à elle s'accompagnait toujours d'un goût de cendres. Après, il fallait laver toute trace de la cérémonie trouble.

J'ai conservé ce réflexe, longtemps après la déchirure. La mémoire des étreintes me ramenait au bain. Un bain brûlant, à la limite du tolérable, qui alourdit, engourdit, chasse tout souvenir. Je cherche sur mon corps une marque, un indice. Néant. C'est à l'intérieur que serait la souillure, au-dessus de la blessure pour être précise. Car il l'avait convaincue de la présence du mal en eux. Je n'y crois plus guère.

Un après-midi, dans un château où des générations de femmes s'étaient languies de leurs amants infidèles, il avait éprouvé pour elle une tendresse subite et violente. Sur une autoroute, long ruban asphalté traversant une plaine anonyme et interminable, il avait serré sa main jusqu'à ce qu'elle blanchisse. Sur un banc délavé face à un fleuve fatigué, il avait gémi sous la puissance de sa passion. Mais rien, croyait-il, ne ferait obstacle à cette débâcle puisqu'elle la contiendrait, serait son garde-fou. Or, elle-même, emportée par le courant, avait peine à reprendre souffle et n'apercevait plus les rives.

Elle devait même éviter les miroirs, les glaces, ces objets cruels lui renvoyant l'image de l'étrangère qui habitait son corps désormais. La tentation était si forte de se perdre dans le miroir comme elle le faisait enfant dans la chambre de ses parents où elle pénétrait à l'insu de tous. Devant la glace, face au lit, elle s'immobilisait et scrutait son regard jusqu'à ce qu'il se détache d'elle. Ce dédoublement lui donnait le vertige et une légère nausée, mais elle ne baissait les yeux qu'à l'extrême limite, quand la fillette fixée dans le miroir devenait plus réelle qu'elle-même.

Pendant l'étreinte, les yeux mi-clos, elle l'avait vu se métamorphoser en créature inquiétante, les sourcils épaissis, les yeux trop rapprochés, la bouche déformée. Il allait la tuer, l'engloutir, l'anéantir. Quelle jouissance...

Au milieu du jour, elle lui téléphonait pour être humiliée. Pour se faire dire par une secrétaire que « Monsieur » était trop occupé pour s'entretenir avec elle, ou ne souhaitait pas lui parler, ou était absent alors qu'elle savait que c'était un mensonge. Une heure et demie plus tard, elle rappelait afin de réentendre par la voix féminine les refus de l'homme pour lequel elle se consumait.

Il partait en voyage fréquemment. Jamais il ne l'invitait à l'accompagner. Les premières heures après le départ, elle respirait mieux, téléphonait à ses amies, s'invitait chez elles. Puis, elle annulait un à un les rendez-vous car l'idée de sortir dans la rue l'accablait. Elle s'enfermait dans leur chambre trop grande, s'installait à côté du téléphone et espérait une sonnerie qui venait rarement. Des heures et des heures, elle fixait la fenêtre sans chercher à regarder au travers. Puis elle dormait pour tuer le temps. Beaucoup plus tard, j'ai fait le calcul de ces heures de sommeil inutiles. Elle y avait perdu trois mois et quart de sa vie.

Il l'emmena un hiver dans un pays chaud peuplé de vieux. Une fois installé dans l'appartement, il refusa de mettre les pieds dehors. Les vieillards l'angoissaient. Elle vit la mer du haut des airs, une semaine plus tard quand ils retournèrent au lieu qui servait de décor à leur désastre amoureux et où deux femmes, à cinq ans d'intervalle, s'étaient jadis donné la mort.

Dans les moments d'éblouissements fous, il disait : « Tu es belle et ça me fait mal de te regarder » ; elle répondait : « Moi, j'ai mal parce que tu es beau. » Puis il décrétait à haute voix : « Il faut se ressaisir. » « Se ressaisir » était une de ses expressions préférées qu'il répétait comme un leitmotiv. Elle n'avait d'autre choix que de jouer son jeu à lui, le jeu du faire-semblant. Non, il n'avait pas touché son corps, il ne s'était pas abîmé en elle, le plaisir ne l'avait pas possédé, il l'aurait juré sur les saints Évangiles, il l'aurait même juré sur la tête de sa propre mère.

Pour mieux feindre, une fois chassé tout indice de dissipation, elle discutait politique avec lui. Il devenait vite agressif. Il la détestait de nouveau, regrettait sa présence tout en l'affrontant. Puis, il claquait les portes. Elle avait atteint son but : rejetée, elle sombrait dans le désespoir avec une complaisance malsaine.

Chaque heure qui s'écoulait annonçait la catastrophe appréhendée. Chaque joie éprouvée devenait plus douloureuse que la douleur elle-même, si bien qu'à rechercher l'une elle éprouvait l'autre. Pendant ce temps, lui, fuyait. Et chaque fuite l'entraînait toujours plus avant, les retours vers elle s'annonçaient plus longs, plus malaisés aussi. Elle était condamnée à vivre le point du non-retour.

Il m'arrive de rencontrer des femmes qui ont survécu comme moi à cette tourmente. Leur rire est inquiet et leur sourire trop appliqué. D'autres se sont éteintes peu à peu, ne conservant que l'allant menant inexorablement à la vieillesse. Un certain nombre, enfin, se sont endurcies et jettent sur la vie un regard hautain et hargneux. Car personne ne sort indemne de l'amour incendiaire.

Un soir de décembre, quelqu'un devant moi a pointé du doigt un homme assuré et railleur qui portait le même nom que lui. Je n'ai pas réussi à convaincre ce quidam qu'il faisait erreur sur la personne. Les homonymes sont plus fréquents que les sosies, ai-je clamé. Il m'a regardée avec pitié. Pourtant, peut-on douter de ma capacité à reconnaître celui qui, à certaines heures, m'a rendu la mort attrayante. Sans le vouloir, j'ai croisé depuis l'imposteur. A première vue, je comprends qu'il confonde ceux qui se croient ses proches. Je l'ai même observé un long moment à la dérobée. L'homme est déterminé, manipulateur, presque froid. Celui que j'ai aimé bouillait d'angoisse, se tordait de douleur et mourait d'espoir. L'homonyme s'est approché de moi, prétextant qu'il savait qui j'étais. Son regard plongé dans le mien s'est troublé. Subitement, mon assurance vacilla. J'eus peur au point de quitter la pièce. Depuis ce temps, il m'arrive de douter de mes forces, surtout la nuit, en voiture, quand le rouge du tableau de bord éclabousse les cadrans et que j'actionne les essuie-glaces sur un pare-brise sec.

Et s'il était mort ? Il prenait si souvent l'avion, conduisait la voiture avec tant de distraction et d'irritabilité, traversait les rues si imprudemment. Ou qui sait, à force de colère, un vaisseau microscopique a pu éclater derrière son regard sombre. Quant à son cœur, il est à l'abri, encerclé par sa détermination, sa volonté et son implacable, marmoréenne, raison.

Vraisemblablement, il demeure là où ils se sont quittés, c'est-à-dire au milieu de nulle part dans l'agitation, le désordre, la frayeur et la distraction. Il l'avait oubliée avant même qu'elle traverse un pont à bord d'une camionnette dans laquelle on avait étendu tous ses vêtements par terre. Les forces l'ayant abandonnée à l'heure de faire les valises, une zélatrice avait eu l'idée de cette étrange garde-robe.

Je n'ai jamais compris la peur incontrôlable que provoque en moi la vue des mannequins exposés en vitrine ou, pire, au tournant d'une allée dans les grands magasins. Cette peur coïncide avec la rencontre de l'autre ou plus exactement avec le voyage bref mais définitif qu'elle accomplit dans une ville décorée de sapins lumineux un samedi vers seize heures trente, quelques heures à peine avant la naissance de l'Enfant. Ce Noël-là, elle rêva qu'elle se noyait. Et moi, j'ai toujours en mémoire le goût d'une eau tiède, légèrement salée et trop lourde pour être avalée.

J'ai dit « je t'aime » des centaines, peut-être des milliers de fois. J'ai prononcé ces mots parce que j'aimais et aussi dans l'espoir que l'amour surgisse. J'ai dit « je t'aime » en n'y croyant plus, pour ne pas blesser, par légèreté, par habitude ou par lâcheté. Rarement ai-je osé prononcer la phrase fatale « je ne t'aime pas » ou pire « je ne t'aime plus ». Je n'envisage guère la séparation sans amour.

Les hommes, croit-on, passent dans nos vies. Rien n'est plus faux. Ils y entrent pour y rester selon le principe de la chaise musicale. Qu'ils se retirent brutalement ou sur la pointe des pieds, nous ne perdons jamais leurs traces. Sans aucun effort, la mémoire les fait réapparaître. L'amoureux de mes dix ans n'est pas éloigné de l'homme qui m'a permis d'exorciser la mort. L'étrange amoureux du Bas du fleuve n'aura jamais connu l'homme au cœur malmené par les extrasystoles qui, par sa fougue et le délire de son verbe, apaisait l'angoisse qui empoisonnait ma vie à une certaine époque. Ils auraient fraternisé et, j'en suis sûre, se seraient aimés. L'homme de Dieu, pour sa part, aurait béni celui qui m'a permis de retrouver l'effervescence amoureuse.

De la même façon, ceux qui m'ont heurtée, agressée, meurtrie me porteront toujours ombrage. Ils appartiennent, hélas, à mon histoire. A quoi me servirait-il de les renier ? Au contraire, il me faut braquer sur eux une lumière crue, impitoyable, car l'oubli conduit toujours à l'impasse.

Je regarde un homme assis face à moi dans le train. Ses mains posées à plat sur ses genoux m'émeuvent. Je les reconnais. Un autre jadis les a posées sur mes épaules. Son voisin l'interpelle. Le prénom m'est familier, trop familier. Je l'ai prononcé tant de fois dans le passé. Je l'ai crié, déclamé, murmuré. Un jour, je l'ai tu.

Le contrôleur s'approche. Je lève les yeux. Son sourire ne m'est pas inconnu. Il me ramène à une ville fixée dans le temps, une ville intimidante de beauté où les fantômes se laissent saisir entre deux canaux. C'était en février, un 14 et j'étais amoureuse. Lui souriait. D'aimer, d'être aimé sur cette place qu'il découvrait après des millions d'êtres avant lui. Il souriait jusque tard dans la nuit ; puis le désir s'emparait de son corps et il me possédait avec gravité et entêtement. Mais son sourire avait disparu. Trop de bonheur l'inquiétait.

Les joues rasées de près de cet autre homme devant, sur ma droite, je connais leur douceur. A l'aube, quand nous étions ensemble dans une chambre d'hôtel anonyme d'une ville qui ne l'était pas assez pour nous, j'assistais émerveillée à la séance de rasage de l'amant. Ses gestes, précis, prudents, caressants, me donnaient envie de lui. Le jeu consistait pour moi à supplier de toucher la joue, lui à refuser tout contact. Puis, il consentait à ce que j'effleure son menton « avec deux doigts seulement ». J'obéissais. Il consentait davantage. J'obéissais de nouveau. J'étais son after-shave, disait-il.

Combien faut-il aimer d'hommes avant d'en aimer un seul ? Est-il possible de les aimer tous pareillement ? Chacun d'eux nous renvoie à un autre, celui de nos amies, de nos voisines ou celui de pures étrangères. Vous êtes amoureuse, dites-vous. Vous souhaitez me parler de lui. Mais je le connais. Je l'ai rencontré ailleurs, à un autre moment, à des milliers de kilomètres du lieu où habite le vôtre. Je sais ses faiblesses, n'en soyez pas étonnée. Je devine ses charmes, j'imagine sa tendresse, je reconnais sa virilité, n'en soyez pas troublée. Nous les partageons, nous les subissons, nous les craignons, nous les admirons, nous les aimons. Quoi de plus normal puisqu'ils sont nos hommes.

Table

COMPOSITION : CHARENTE -PHOTOGRAVURE À L'ISLE D'ESPAGNAC
IMPRESSION : SOCIÉTÉ NOUVELLE FIRMIN-DIDOT AU MESNIL-SUR-L'ESTRÉE
DÉPÔT LÉGAL : FÉVRIER 1995. N° 21688 (29700)